Product-Led Growth

How to Build a Product That Sells Itself

Wes Bush

プロダクト・レッド・グロース

「セールスがプロダクトを売る時代」から
「プロダクトでプロダクトを売る時代」へ

ウェス・ブッシュ［著］
八木映子［訳］
UB Ventures（岩澤 脩、高野泰樹）［監訳］

PRODUCT-LED GROWTH
by Wes Bush

はじめに

何を売るかと同じくらい、どう売るかが重要であることを歴史が証明している。ブロックバスターがNetflix（ネットフリックス）に敵わなかったことから分かるように、**問題は、売り方を「革新するかどうか」ではなく、「いつ革新するか」の判断**だ。

私がこの本を書こうと決めた大きな理由は、あるスタートアップに関わり、本書でご紹介するプロダクト・レッド・グロース（PLG）の威力を直に目撃したからだ。

そのスタートアップは、よく冷えた冬の日、カナダのテクノロジー都市として知られるオンタリオ州ウォータールー市で誕生した。居心地の良いロフト部屋に、ベニヤ板のテーブルが置いてあり、そこに50人のワーカーが各々のノートパソコンを隣同士に並べ熱心に働いていた。みんな、ビデオ技術に夢中だった。

この会社では、家族や友人、同僚、ユーザー、さらには見込み顧客とも、ビデオ通話でやりとりすることがあたりまえだった。当時は珍しがられたが、ちょうどビジネス界ではビデオ通話が流行りはじめたころで、エキサイティングな時代だった。
賢い投資家たちはこの流行の波に乗ろうと、ビデオ通話に関連した企業に金を注ぎ込んだ。同社もその恩恵を受け、開発したばかりの新しいビデオホスティング技術をマス市場向けにプロモーションするなど、マーケティングに多額の予算があてられるようになった。

そして、私はそのマーケターの1人だった。数えきれない顧客獲得チャネルにかなりの額を費やし、リード獲得のために全力を注いでいた。

だが、ばかばかしいほどの予算を浪費するうちに、顧客獲得にまつわる「そもそも、なぜ」という疑問が浮かぶようになった。

なぜ自分は、営業資料をばらまくのに30万ドルも費やしているのだろう、と。

もちろん、理由を説明するのは簡単だ。それは契約に飢えたセールスチームを満足させるため、リードを獲得するためだ。だが、そもそも、その目的を果たすのに営業資料を使う必要があるのだろうか?

我々はごく一般的で使い古されたマーケティング戦略を参考にしていた。それは、コンテンツをつくり、リードを獲得するためにランディングページを用意し、相手が有料ユーザーになる（または退会する）までこつこつ自動メールを配信し続ける、といった手法だ。このような作業に身に覚えがある方も多くいることだろう。

この古びたマーケティング戦略は何かがおかしいと気がついたのは、あるフリーミアムプロダクトの立ち上げに携わったときだった。ここでは、ユーザーにプロダクトの価値をより簡単に体験してもらえるようにしたことで、1年も経たないうちに10万ユーザーも集める強力な顧客獲得モデルへと変革させることができたのだ。

この経験を通して、私は長年感じていた違和感を払拭し、ある考えが確信に変わった。それは、**真に素晴らしいソフトウェア会社は、プロダクト主導で設計されている**ということだ。

この結論に至るのは、さほど難しいことではない。私たちは商品を買う前にまず、試してみたいと思っているはずだ。あなたの日々の生活を思い返してみてほしい。香水、新しいスーツやシャツ、サングラスにしても、買う前にまずは試してみたいと思うはずだ。

商品の購入を決める際、事前にそれを試すことは、これまでも、そしてこれからも大事なプロセスだ。そして、ソフトウェアにおいても同様のプロセスが求められている。ＰＬＧを取り入れた企業は、この避けては通れない消費者トレンドに添ったビジネスモデルを展開している。

今後、ＳａａＳ市場が進化するにつれ、企業はつぎの２つのタイプに分かれていくだろう。

*SaaS(Software as a Service)
クラウドで提供されるソフトウェアのこと。インターネットを介して、必要な機能を選択して利用できる。

１．セールス主導型カンパニー

セールス主導型カンパニーは、従来の売り方を象徴している。売る商品は複雑で、必ずしも必要とは限らず、高価だ。購入してもらえるかどうかは、消費者をいかに説得できるかにかかっている。このタイプに当てはまる企業は、消費者を独自のセールスサイクルに乗せようとする。

2．プロダクト主導型カンパニー

プロダクト主導型カンパニーはこの旧来の営業モデルを逆にしたものだ。つまり、見込み顧客を長く決まったセールスサイクルに乗せようとするのではなく、かわりにプロダクトを自分で試せる「鍵」を与える。おかげで、いかに有料プランへのアップグレードを促すかといったことに頭を悩ませる必要はなくなり、ユーザーにより便利なサービスを提供するための改善に注力することができる。

今の時代、強いブランド力と社会的信用だけでは、消費者からの信頼を勝ち取ることはできない。購入してもらう前に、プロダクトを試せる権限を与える必要がある。PLGは、まさに、それを実践可能なビジネス戦略に落とし込んだ手法だ。

現代の消費者に自社のプロダクトを購入してもらえるよう、プロダクト主導型モデルに方向転換するか、それともなにもせず新しいトレンドに押しつぶされるか、いま、私たちは決断を迫られている。

監訳によせて

新型コロナウイルスの影響で世の中の働き方は大きく変わった。オンラインシフトが一気にすすみ、Zoom（ズーム）、Slack（スラック）、Dropbox（ドロップボックス）など多くのサービスが新時代のビジネスインフラを担うようになった。これらのプレイヤーが皆、同じ成長戦略を採用していることをご存じだろうか？

それは、**プロダクト・レッド・グロース（PLG）**――2016年に米国のベンチャーキャピタルであるOpenView（オープンビュー）が提唱した成長戦略だ。フリーミアムを駆使してユーザーを獲得し、バイラル効果でユーザーベースを広げていく。そして、ユーザーがもっと機能を使いたいと思う絶妙なタイミングで課金をうながす。B2Cにおけるグロースハックの概念をB2Bに応用した考え方である。

現在、米国のソフトウェア・スタートアップ業界において、「2020年はPLG時代」ともいわれ、成長戦略のメインストリームとなりつつある。ではなぜ、ここまでPLGが注目されるようになったのか？　その答えはソフトウェアの歴史にある。

ソフトウェアの時代は、大きく3つに分かれるといわれている。

まず、2000年以前の営業主導の時代。インストール型のソフトウェアを長い時間をかけてクライアントの経営層に提案する。トップ営業が製品導入の意思決定に不可欠な時代であった。

その後、2000年以降にかけ、Salesforce（セールスフォース）の登場により時代はマーケティング主導へと変化していく。オンプレミスからクラウドへとソフトウェアの主流が変わり、プロダクト導入コストは大幅に下がった。これにより、ソフトウェア購入の意思決定者層の裾野が広がり、ベンダー側もトップ営業からインバウンドマーケティングを主軸に据える戦略に変化をしていった。インサイドセールス、フィールドセールス、カスタマーサクセス、分業化により、効率的に商談を進めることが求められる時代になった。

＊オンプレミス（On-premises）
サーバーやソフトウェアなどの情報を自社で保有し、システムを導入・運用すること。

そして今、時代はプロダクト主導の時代へと急速に転換しつつある。テクノロジーの進化でユーザーは自由にプロダクトを選び、試すことができるようになった。営業担当者がコンタクトするよりも先にユーザーはプロダクトにアクセスし、プロダクトの価値を見定めてしまうのだ。

サブスク型サービスやアプリなど、試したい時にすぐに試せる環境に慣れてしまった私たちは、「いかに早く、プロダクトの価値を感じることができるか？」があたりまえになっている。気になるプロダクトやサービスをすぐ試したいのに、トライアル申し込みフォームで、名前、メールアドレス、企業名、職位、業界、従業員数など多くの情報を入力させられてストレスを感じる、といった体験をしたことはないだろうか。

ユーザーにフリクション（摩擦）を与えて、個人情報を取得する、商談に持ち込むという旧来の考え方は、こうしたユーザーマインドの変化に置き去りにされているといっても過言ではない。**セールスがプロダクトを売る時代は終わり、プロダクトでプロダクトを売る時代へと一気にパラダイムシフトが起きた**のだ。

本書では、自らも事業経験のあるウェス・ブッシュが様々なフレームワークを駆使しながら、新たに到来したプロダクトの時代を生きるための術を具体的かつ実践的に解説している。PLGを選択するためのM（マーケット戦略）O（オーシャン状況）A（オーディエンス）T（タイム・トゥ・バリュー）フレームワーク、バリューメトリクスの見つけ方、オンボーディングのためのボウリングレーン・フレームワーク。実際にPLGを活用している各社の事例も多く交えながら、明日からの一手につながる、わかりやすい知見が詰まっている。

著者も本文中で言及しているが、ＰＬＧはすべてのプロダクトにあてはまるわけではない。フリーミアムやフリートライアルという、うまくいけば爆発的なユーザー獲得につながる一方、間違えると売上をすべて失うリスクのある施策を取り扱うので、盲目的にＰＬＧを導入することは、自らの首を締めることになりかねない。自社でＰＬＧを検討するという方は、本書のフレームワークを活用しながら、自社のプロダクトはＰＬＧに適するのか、慎重に見極めていく必要があることに要注意である。

また、ＰＬＧは完成された成長戦略ではなく未だ進化し続けている。米国ベンチャーキャピタルのアンドリーセン・ホロウィッツは、ＰＬＧのボトムアップ・アプローチと従来の法人営業のトップダウン・アプローチを融合した「グロース＋セールス」という考え方を提唱している。同時に、ボトムアップ・アプローチのＰＬＧだけでは、大手企業の大規模導入の機会を逃してしまう可能性もあるとの警鐘を鳴らしている。ＰＬＧはあくまで、成長戦略の選択肢の１つであり、この手法１つで成功できるという唯一無二の武器ではない。

そして、最も大事なことは、ユーザーにとってマスト・ハブであるプロダクトが前提にあるということだ。ＰＬＧを本書に則って実践しても、そもそものプロダクト・クオリティが低ければ元も子もない。ユーザーペインを解決する芯を食うソリューション、魅力的なデザイン、プロダクトの本源的価値に誘うＵＩ／ＵＸ、すべてを兼ね備えた上で、ＰＬＧが活きてくるのだ。

プロダクト導入の意思決定者は、経営者から部門責任者、そしてエンドユーザーへと変化してきた。成長戦略も意思決定者層に最適化され、時代と共に変化を遂げている。エンドユーザー中心となった今、ＰＬＧの流れを知ることは、これから10年続くプロダクト主導の新時代を生きる羅針盤となる。２０１０年台後半、海外から沢山のＳａａＳノウハウが日本に流入し、多くのＳａａＳスタートアップが非連続な成長を遂げていった。

ＰＬＧが体系的に日本に紹介されるのは本書が初となる。本書を起点にＰＬＧの体系的な知見が広がり、日本でも多くのＰＬＧを実践する企業がうまれ、日本のプロダクトが世界中に広がる日が来ることを期待している。

株式会社 UB Ventures
岩澤　脩

Part II 自社ビジネスの基盤を築こう

Part Ⅲ 成長エンジンに火をつけよう

PartI

戦略を
デザインしよう

第1章

PLGの重要性が急速に増しているのはなぜ?

はじめに、本書のテーマである**プロダクト・レッド・グロース（PLG）**とは何かについて説明しよう。

PLGとは、米ベンチャーキャピタルのオープンビューが名付けたGTM（ゴー・トゥ・マーケット）戦略の1つで、**ユーザー獲得、アクティベーション、リテンションを、プロダクトそのものが担う**という手法だ。

スラックやドロップボックスを利用したことがある方なら、既にPLGを体験しているはずだ。これらのサービスを使う前、あなたは社内コミュニケーションやクラウドでのファイル共有のメリットについて延々と綴られた営業資料に目を通しただろうか？　それよりも、まずは、実際にどうやって使うのかを見て、触ってみたのではないだろうか。

PLGは一見すると、**購入前にプロダクトを試す**というシンプルなビジネスモデルだ。しかしよく見てみると、SaaSビジネスを成長させるまったく新しい戦略である。Klipfolio（クリップフォリオ）創業者兼CEOのアラン・ホワイト氏は、PLGを次のように説明している。

＊**GTM戦略**（Go-To-Market）
どのようにターゲット顧客にアプローチするか、競争優位性を保つかを具体的に示したアクション・プラン。

ＰＬＧを取り入れるということは、**事業に関わるすべてのチームがプロダクトに影響を与える**ということだ。

マーケティングチームは、どうすればこのプロダクトの需要を伸ばせるかを問う。セールスチームは、このプロダクトをどう使えば見込み顧客に買ってもらえるかを問う。カスタマーサクセスチームは、どんなプロダクトならユーザーに今以上に活用してもらえるかを問う。

各チームがプロダクトにフォーカスした活動をすることで、カスタマーエクスペリエンスの強化を中心とした企業文化が形成されるようになる。

プロダクトを中心に組織全体をリードすることで、より短いセールスサイクル、より低い顧客獲得コスト（ＣＡＣ）、そしてより高い従業員１人あたり売上（ＲＰＥ）を実現できるのだ。

＊ＣＡＣ（Customer Acquisition Cost）
顧客獲得コスト。見込み顧客が、プロダクトやサービスを納得して購入するまでに費やした営業・マーケティングコスト。

＊ＲＰＥ（Revenue Per Employee）
従業員１人あたりの売上高。

ＰＬＧは、ＳａａＳ企業がプロダクトをどう売るかだけでなく、市場でどう生き残るかというビジネスの根底からの見直しを迫る。そして今まさに、何千とあるＳａａＳ企業をも飲み込む大きな変化が迫ってきている。

この章では、まず、この迫りくる変化について、それらがどのようなものか、そしてどうすればその変化に対応することができるのかについて、解説していく。

サブスクリプションビジネスに迫る3つの変化

SaaSビジネスにおいて、現在、3つの大きな変化が起こっている。

変化その1
スタートアップの成長に以前より多くのコストがかかるようになった

直観的に反すると感じている方もいるかもしれないが、事実、SaaSビジネスを立ち上げるのに、かつてないほどお金がかからなくなっている（テクノロジーメディアのハッカーヌーンによると、今や0ドルでSaaSプロダクトが構築できるようになっている[1]）。

ところが**市場への参入障壁が低くなったことで、競合他社との争いが避けられなく**

なった。その結果、顧客獲得に以前より多くのコストが必要になっていると[2]、米国ベンチャーキャピタルであるAndreessen Horowitz（アンドリーセン・ホロウィッツ）のアンドリュー・チェン氏は主張している。次の3つのマーケティングチャネルの動向を見てほしい。

Facebook（フェイスブック）：インプレッション単価（CPM）が171%上昇[3]
Twitter（ツイッター）：CPMが20%上昇[4]
LinkedIn（リンクトイン）：CPMが44%上昇[5]

＊CPM（Cost Per Mille）
インプレッション単価。
広告表示1000回
あたりにかかるコスト。

もちろん他にもマーケティングチャネルはあるが、マーケティング費用がこれ以上安くなることはないと察しがつく。SaaS企業の収益管理や分析をするProfitWell（プロフィットウェル）によると、この5年間で顧客獲得コスト（CAC）は55%上昇した一方で、サービスに対する顧客の支払い意欲は同期間に30%下落している。[6]

つまり**顧客獲得コスト（CAC）が上がる一方で、顧客単価は下がっている**のだ。コストがかさみ、収益性が落ちている状況が意味することは誰にも明白である。もし自社のSaaSの解約率が高いなら、この変化は命取りになるかもしれない。

変化その2
顧客は自ら学ぶことを好むようになった

これはB2Cに限ったことではない。調査会社Forrester（フォレスター・リサーチ）によると、4分の3のB2B購買担当が、営業担当者からプロダクト説明を受けるより、自ら情報収集したいと回答したという。[7]

プロダクトを購入するシーンを想像してほしい。望ましいのは次のどちらだろうか。

・購入する前に、実際に見て、使ってみる
・長々としたセールスプロセスに沿ってニーズに合うか確認する

自分でプロダクトを試したいという方が大半ではないだろうか。

これは単にSMB（Small and Mid-size Business：中小企業）に限ったことではない。カスタマーサクセスソフトウェアを提供するGainsight（ゲインサイト）によると、エンタープライズ（大手企業）の購買担当者も、プロダクトのトライアルと検証を簡単かつ即時に行えることを期待しているという。[8]

フリートライアルやフリーミアムモデルを採用したプロダクトであれば、手軽に、かつ素早く購入の意思決定ができる。[9]

変化その3
購入プロセスで、プロダクトの利用体験が重視されるようになった

これも身をもって体験しているはずだ。ネットフリックスのサービスを利用したことがあれば、そのときの体験を思い出してほしい。使いはじめる前、営業担当者に問い合わせをしたり、デモを予約したりする必要はなかったはずだ。オンボーディングもプランのアップグレードも、すべてプロダクト上で行われる。

購入のプロセスにおいて、そこに人が介入する必要はない。しかしこれは、決してPLGを導入する企業に営業担当者はいらないという意味ではない。**新しいユーザーをプロダクトの購入まで導く役割は、プロダクトが担ったほうがよい**ということだ。

これらの変化は収まるどころか広がっていく一方だ。実際、我々を含む消費者は、この変化がくるのを待ち望んでいる。

＊オンボーディング(on-boarding)
on-board(船や飛行機に乗っている)から派生した言葉。新たに採用した社員や新規ユーザーに対して、必要なサポートを行い、慣れてもらうプロセスのこと。

あなたのSaaSビジネスは、この変化のうちどれかは免れることができるかもしれない。だが、3つすべてを切り抜けられる勝算はあるだろうか？

SaaSビジネスを成功させるためには、この3つの変化に立ち向かうことができるGTM戦略が必要となる。

3つの変化に対応するサブスクリプションビジネスをつくるには？

そもそも**GTM戦略**とは何かについて説明しよう。

GTM戦略とは、**その企業が競合相手より優位に立つために、どのようにターゲット顧客にアプローチするかを具体的に示したアクション・プラン**のことだ[10]。

どのGTM戦略が最適かを検討する前に、まずは市場トレンド、自社のポジショニング、想定顧客、そして提供するプロダクトそのものを把握する必要がある。

これらの要素を理解することが、顧客獲得、リテンション、顧客基盤の拡大を実現する費用対効果が高いGTM戦略の選択につながる。対照的に、間違った戦略を選んでしまうと、競合相手にディスラプトされるなど、危険にさらされるリスクが高まる。

セールス主導型のGTM戦略がリスクにさらされている!

プロダクトを売る唯一の方法がユーザーと直接話すことだとしたら、それはセールス主導型の戦略を用いていることになる。何千ものリードを獲得するマーケティング施策を実施していたとしても、それがセールスチームのためのリード獲得ならば、それもまたセールス主導型といえる。

いま、セールス主導型のGTM戦略がリスクにさらされている。

セールスチームにセールスプロセスを一任することで、ユーザー自らが学ぶ機会を妨げているからだ。

自覚があるかないかにかかわらず、これがセールスプロセス全体に大きな摩擦を生み出す。また、優秀なセールスチームを維持するのは安くなく、CACが高騰するというリスクもある。

セールス主導型GTM戦略では、下の表のように、先ほど説明した3つの変化に対応できないリスクがあるのだ。

ただし、これだけのリスクがあっても、セールス主導型のGTMを検討したほうがよい場合もある。そこで、セールス主導型の戦略について、メリットとデメリットをまずは押さえておこ

変化の種類		変化への柔軟性
変化その1	顧客獲得コストの上昇	×
変化その2	ユーザーの自主学習意欲の増加	×
変化その3	購入プロセスにおける利用体験の重要度の増大	×

セールス主導型 GTM 戦略

う。使いどころを間違えないことが大切なのだ。

セールス主導型GTM戦略のメリット

1. 顧客生涯価値(LTV)が高い顧客を獲得できる

セールス主導型GTMの一番の魅力は、**高いACV**(Annual Contract Value：年間契約金額)**を持つ顧客を獲得できる**点にある。

これは見方を変えれば、そして多くの場合、一部の顧客に大半のARR(Annual Recurring Revenue：年間経常収益)を依存することとなり、収益の多様性に欠けてしまう。つまり、顧客が1社解約するだけで売上見込み全体が崩れ、予期せず従業員を解雇せざるを得ない状況に陥る可能性を持っている。

しかしながら、大企業をターゲットとして、複雑なプロダクトを扱っているということであれば、その購買プロセスや導入プロセスも複雑になるため、直接顧客にアプローチするハイタッチのセールスモデルが必要となる。

＊ACV（Annual Contract Value）
年間契約金額。ユーザー1契約あたりの年間売上。初期費用など一度しか発生しない料金は含まない。

＊ARR（Annual Recurring Revenue）
年間経常収益。企業がサブスクリプションから毎年決まって得られる収益。

2. ハイパー・ニッチなプロダクトに対しては最適な戦略となる

プロダクトの獲得可能なＴＡＭ（Total Addressable Market：最大市場規模）が小さいなら、あえてセールス主導型モデルを採用することは理に適っている場合が多い。なぜなら、ＴＡＭが小さい場合、見込み顧客との強いリレーションがビジネスの成長に大きく影響するからだ。

一方でプロダクト主導型モデルは、ＴＡＭが大きい場合にビジネスの成長を加速させることができる。

＊ＴＡＭ（Ｔｏｔａｌ Addressable Market）最大市場規模。あるプロダクトやサービスから見込める売上機会の総和。将来の成長性も加味される。

3. 新たな領域でプロダクトを立ち上げる際には最適な戦略である

新たな領域でプロダクトを立ち上げる場合、ユーザーの問題解決へのアプローチ方法をゼロから変える必要がある。これには時間がかかるだけでなく、ユーザーにこれまでと異なる方法を啓蒙する必要もでてくるだろう。

そのため、まずはユーザーのペインポイントや不満、プロダクトを導入する際の根本的な課題を理解しなければならず、セールス主導型アプローチを取り入れることは理に適う。新たな領域に参入する場合、ユーザーが求めているものへの理解なしに、プロダクト主導型アプローチを早々に取り入れても、高い解約率を出す事態に陥ってしまうリスクがある。

自社のプロダクトを活用して成功しているユーザーがまだ存在しない場合、プロダクト主導型モデルは逆効果になりかねない。プロダクト主導型の道に進む前に、ユーザーの成功のために何が必要か、しっかり把握しておく必要がある。

セールス主導型GTM戦略のデメリット

1. 高い顧客獲得コスト(CAC)がかかる

ハイタッチセールスの一番の欠点は、**CACのコントロールが利かず、セールスサイクルが恐ろしく長くなる**ことだ。また、ハイタッチセールスがCACを高騰させることは想像に難くないだろう。

＊ハイタッチセールス　代理店を通さずに企業が直接顧客に対応する営業方法。

ハイタッチセールスで収益性を保つためには、新規顧客獲得の投資を上回るＬＴＶが必要になる。そのＬＴＶを達成するように、ほとんどのセールス主導型ビジネスは、高いプレミアムを顧客にチャージする。**プレミアムが上乗せされているのは、そのプロダクトの価値が高いからではなく、顧客獲得コストが高いからだ。**

Y Combinator（ワイ・コンビネーター）の創業者、ポール・グラハム氏が唱えるとおり、「そのプロダクトを売るのにお金がかかればかかるほど、ユーザーはそれを買うのにもさらにお金が必要となる」。つまり、セールス主導型の戦略だと、プロダクトの価値とは関係のないコストを消費者に押し付けることになるのだ。

2. 顧客獲得モデルに穴がある

セールス主導の組織では、顧客獲得モデルに大きな穴がある。Ｂ２Ｂマーケティング調査会社 SiriusDecisions（シリウスディシジョンズ）によると、**98％ものＭＱＬ**（マーケティング部門において品質保証された見込み顧客）**が、契約締結という結果に至っていない**という。

＊ＭＱＬ（Marketing Qualified Lead）マーケティング活動によって得た見込み顧客。ホットリストとも言われる。

ＭＱＬのコンバージョンレートが芳しくないのは、このモデルにいくつか隠れた欠陥があるからだ。

1. コンテンツにゲートをつける（訳注：ユーザーの個人情報等を入力しないとコンテンツが閲覧できないようにする）よう促してしまう
2. コンテンツの消費量が購入意思の主な指標として扱われてしまう
3. 購買プロセスにおいて、スムーズにいかない状況を称賛するプロセスになっている

結果、マーケティングとセールスの分断が生じてしまう場合が多い。これはなにも驚くことではない。プロダクトの営業資料をダウンロードしたからといって、そのプロダクトを購入するだろうか？　そうとは限らないだろう。

3. 素晴らしいプロダクト開発を妨げる組織構造になっている

顧客分析サービスWoopra（ウープラ）社のＣＥＯ、エリー・コウリー氏によると、典

型的なセールス主導型ビジネスの組織構造は下図のようになっているという。

　左側にはプロフィットセンターとして、セールス・マーケティング・カスタマーサクセスチームが置かれている。右側にはコストセンターとして、プロダクトの企画・開発するチームが置かれている。

　この組織構造で問題なのは、**プロダクト開発がセールスよりも劣後されてしまう**点だ。たとえば、セールスチームがプロダクトの機能について詳細を説明しないまま大口顧客を獲得した場合、開発チームとプロダクトチームは新しいプロジェクトを立ててその穴埋めにあたる、といったケースだ。

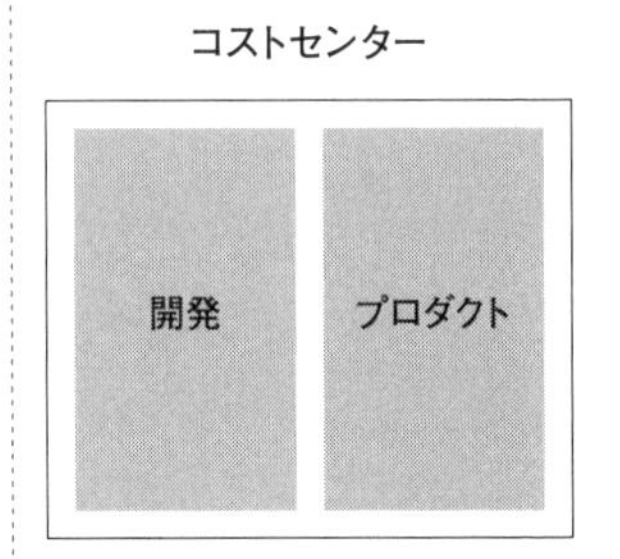

セールス主導型の組織は、
プロフィットセンターとコストセンターに分かれ、
プロダクト開発がセールスよりも劣後されてしまう

セールス主導でプロダクト開発は劣後するという組織構造では、大口顧客を追い続けることを強いられるようなものだ。こう唱えているのは私だけではない。

以下はとある企業――著名な投資家からシリーズCの資金調達を実施し、ビジネスの成長が著しく、高い顧客リテンションを保持し続け、最高の経営陣を持つ企業――のCEOが実際に発言した言葉[11]だ。

「私の一番の後悔は、最初の顧客のACV（年間契約金額）が100万ドルだったことです。それ以降、我々のプロダクト、GTM戦略、カスタマーサポート、そのすべてが1つの方向性――高単価の大企業に引っ張られてしまいました。我々は消耗戦をたたかうことを強いられ、そこから降りられなくなってしまったのです。経営陣も、社員も、みな最初の顧客と同等かそれ以上の規模の企業だけにアプローチすることを望みました。一方、後から参入した競合他社は、同じ市場でも、もっと低価格の顧客層を狙っていました。彼らの会社は規模こそ小さいですが、急速に事業拡大しています。我々は彼らと戦うことができません――それだけのチーム、技術、カスタマーサポート、もっというとそういったマインドセットがないのです」

彼の言葉は、私が今まで長い間信じてきたことは間違っていなかったと確信させてくれるものだった。それは、**真に素晴らしいSaaS企業は、プロダクト主導であるということだ。**

なぜ多くのSaaS企業がプロダクト主導型ビジネスを選ぶのか？

「未来の成長は、プロダクト主導型の企業にある。我々HubSpot（ハブスポット）はこれに数年前に気がつき、他社に先んじて自社のビジネスモデルを全面的に見直しました。

当時、ハブスポットは、独自のマーケティングおよびセールス主導のインバウンド・マーケティング・モデルで、毎年30％から40％の成長率で伸び続けていました。それでも、当時うまくいっていた手法をあえて覆し、自社初のフリーミアムプロダクトをローンチしたのです。

市場の状況と消費者行動は変化していました――ソフトウェアも、購入する前に、試してみて、プロダクトの価値を体験できることを期待する消費者が急激に増えていたのです。長期に渡って成功し続けるためには、このトレンドに適応するよう選択を迫られていました。さもなければ、〝見込み顧客を奪われる〟リスクがあったのです」

——キーラン・フラナガン
ハブスポット社　マーケティングVP

ここ何年もの間に、数えきれないほどのSaaSビジネスが自社を守ろうと、セールス主導のGTMからプロダクト主導のGTMに切り替えている。Grammarly（グラマリー）、スラックやドロップボックスといった多くの著名なソフトウェア企業も、同じ戦略を取り入れた。

プロダクト主導型の組織が他社と一線を課すのは、すべての部署においてプロダクトを軸に組織を率いている点だと、顧客分析サービスウープラ社の共同創業者、コウリー氏は述べている。

プロダクトチームがビジネス全体に関わることで、各部署が一体となってシームレスなカスタマー・エクスペリエンスを生み出すことが可能になる。プロダクト主導型ビジネスに特徴的なのは、**目標を達成するのに、どのチームもプロダクトを活用している**点だ。

プロダクト主導型のセールスチームは次のように問う。

「見込み顧客に合ったプロダクトを売るために、プロダクトをどう活用できるだろう？　我が社のプロダクトの価値を既に理解している顧客にそう聞いてみよう」

プロダクト主導型のマーケティングチームは次のように問う。

「リード獲得でナンバー・ワンになるために、プロダクトをどう活用できるだろう？」

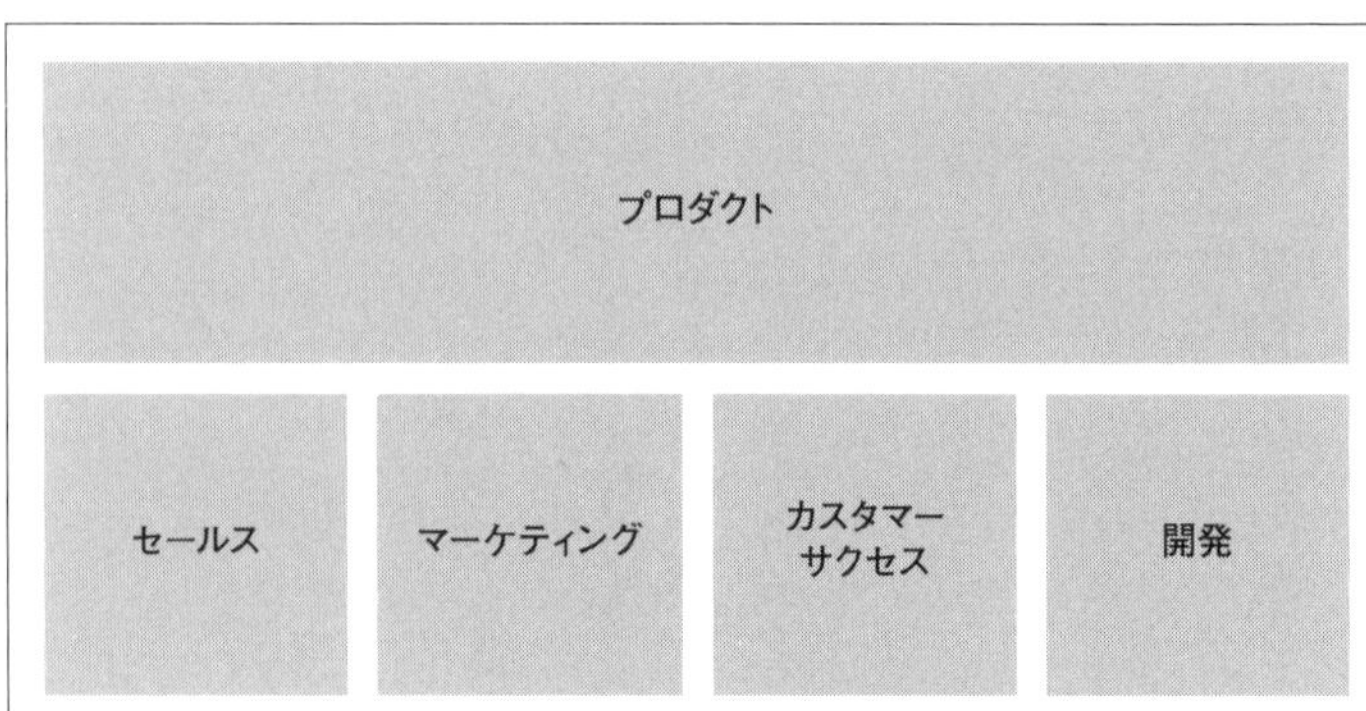

プロダクト主導型の組織は、
すべての部署においてプロダクトを軸に組織を率いており、
各部署が一体となって顧客体験を生み出すことができる

プロダクト主導のカスタマーサクセスチームは次のように問う。
「我々のサポートがなくとも顧客の成功を支援できるプロダクトをつくるには、どうしたらいいだろう?」

プロダクト主導の開発チームは次のように問う。
「より早くプロダクトの価値を実感できるようなプロダクトをつくるには、どうしたらいいだろう?」

下表のとおり、プロダクト主導型のGTM戦略はすべての変化から身を守ってくれる。

変化の種類		変化への柔軟性
変化その1	顧客獲得コストの上昇	◎
変化その2	ユーザーの自主学習意欲の増加	◎
変化その3	購入プロセスにおける利用体験の重要度の増大	◎

プロダクト主導型GTM戦略

プロダクト主導型のアプローチは、市場を独占できるだけのポジションの獲得を可能にする一方で、リスクも伴う。**成功するPLG戦略を導入するのは、難しい。**

これがこの本を書いている主な理由である。PLGを実際に導入するのは、たやすいことではないのだ。単に、購入前にプロダクトを試せるオプションを追加すればよいというものではない。組織全体のアプローチを変える必要がある。セールス先行、プロダクト劣後ではなく、各チームが、ユーザーひとりひとりの成功を支援する必要がある。

成功するPLG戦略を導入することができれば、素晴らしい成果を手に入れる未来が待っている。

PLGのメリット

プロダクト主導のビジネスは、優位な成長エンジンと、格段に低いCACへのアクセスという競争優位性を確保できる。

1．優位な成長エンジン

プロダクト主導型ビジネスは、次の2つの強力な方法で、競合他社よりも早くビジネスをスケールさせることができる。

1．広いトップ・オブ・ファネル

フリートライアルとフリーミアムモデルは、カスタマージャーニーの早いタイミングからユーザーを取り込むことができる。競合他社がデモ申し込みフォームに必要事項を記入させている間に、見込み顧客は、あなたのプロダクトを検証しはじめることができるのだ。

＊（マーケティング）ファネル（Funnel）
ファネルとは「漏斗（ろうと・じょうご）」のことで、ユーザーが商品を認知し、購入するまでのプロセスを進むにつれ、その数が減っていくことを言う。

2．迅速なグローバル展開

競合他社が、各リージョンの営業担当者の採用活動で忙しくしている間に、あなたの会社ではオンボーディング体験の改善に注力し、わずかな時間で世界中の顧客にサービスを届けることができる。

2. 格段に低いCAC

無料のソフトウェアは、次の3つの強力な方法でモートを築く。

1. 短いセールスサイクル

見込み顧客自らオンボーディングできることで、ユーザーがそのプロダクトに価値を感じるまでの時間（タイム・トゥ・バリュー）とセールスサイクルを大幅に短縮させられる。ユーザーがプロダクトの価値をひとたび体験したら、次にとるアクションはプランのアップグレードだ。プロダクトからメリットを得られるのが早ければ早いほど、無料ユーザーから有料ユーザーへと切り替わるまでの期間も短くなる。

2. 高い従業員1人あたりの売上（RPE）

元来ソフトウェアは拡散しやすいプロダクトだが、プロダクト主導型アプローチなら、より少ない人員でそれが叶う。導入サポートコストが低いということは、顧客あたりの利益率が高くなるということだ。

SEO分析ツールを提供するAhrefs（エイチレフス）社の2019年の数字を見

＊モート(Moat)
ビジネスにおける競争優位性、企業の強み。

てほしい。彼らはわずか40人の社員で4000万ドルのARRを実現している。

3. より良いユーザーエクスペリエンス

ユーザー自らオンボーディングできるようプロダクトが設計されているので、導入サポートなしで、ユーザーはプロダクトの価値を体験できる。

プロダクト主導型のGTM戦略の利点はこれだけではない。オープンビューによると、プロダクト主導型企業の企業価値は、上場市場のSaaSインデックス・ファンドよりも30%以上高く評価されているという[12]。

これらの考察が意味することは?

この戦略は全てのプロダクトに適した戦略ではない。全員がプロダクト主導型に変える必要はない。

自社のビジネスを十分理解していなければ、プロダクト主導型のGTM戦略を取り入れることでビジネスを助けるどころか、場合によっては潰してしまいかねないからだ。

実際、多くの野心的な起業家が、PLGを試しては失敗に終わっている。Drip（ドリップ）社の前CEO、ロブ・ワーリング氏の忠告はこうだ。

「フリーミアムは、サムライの刀のようなものだ。使い方をマスターしていないと、自らの腕を切り落としてしまう」

多くのSaaSビジネスが、従来のセールス主導型からプロダクト主導型戦略への移行に失敗しているのは、実戦で検証された「定石」が存在しないからだ。フリートライアル、フリーミアムモデル、どちらが自分のビジネスに合うのか自ら見極める必要がある。

フリートライアル、フリーミアム、デモのどれが合うのか？　最適な選択のためのフレームワークを次章で紹介しよう。

第2章

武器を選ぼう
フリートライアル、フリーミアム、デモ、どれが最適?

フリートライアル、フリーミアム、デモのうち、どのモデルが適切か選ぶときは、慎重にならなければいけない。誤ったモデルを選んでしまうと、ビジネスをいとも簡単に潰してしまいかねないからだ。

単に長所短所をネット検索したり、起業仲間に相談したりするだけでは、残念ながら十分ではない。なぜかというと、そうしたアドバイスは、それぞれ異なる分野でビジネスをしている人からのものだからだ。ターゲット顧客も、価格設定戦略も、プロダクトも異なる。しかもその差は「シンプルで馴染みのある」ものから、「一体どうやって使うのかわからない」というものまで、幅が広い。

誰かがうまくいった方法で、あなたのビジネスもうまくいくとは限らない。そこで、正しい選択をするためには、フリートライアル、フリーミアム、デモの各モデルを比較できる、意思決定フレームワークが必要になる。

そこでこの章では、私が考案した**MOATフレームワーク**を用いて、最適なGTM戦略の選択方法を解説する。

M：マーケット戦略（Market Strategy）

自社のGTM戦略はドミナント型戦略か、ディスラプティブ戦略か、または差別化型戦略か？

O：オーシャン状況（Ocean Conditions）

自社のビジネスはレッド・オーシャンか、ブルー・オーシャンか？

A：オーディエンス（Audience）

自社のマーケティング戦略は、トップダウン型か、ボトムアップ型か？

T：タイム・トゥ・バリュー（Time-to-value）

自社のプロダクトは、どれくらい早くユーザーにプロダクトの価値を示すことができるか？

まずは認識を合わせるため、フリートライアルとフリーミアムモデルの違いについて簡単に解説しよう。

フリートライアルとフリーミアムの違いは?

フリートライアルとは、見込み顧客に対し、プロダクトを部分的または完全に無料で利用できる権限を一定の期間だけ提供する顧客獲得モデルだ。

一方、フリーミアムモデルは、見込み顧客に対し、プロダクトを部分的に利用できる権限を期限なしで提供する顧客獲得モデルだ。

一見すると、フリーミアムモデルは、単にフリートライアルを無期限にしたものに思えるかもしれないが、実はまったく異なるものだ。

最適なＧＴＭ戦略が分かれば、フリートライアル、フリーミアム、デモのモデルのうちどれを選ぶとよいか、より簡単に選択できるようになるだろう。

マーケット戦略：
GTM戦略はドミナント型、ディスラプティブ型、差別化型？

GTMのアプローチは、この3つだけに限定されたものではない。トニー・ウルウィック氏のジョブ理論マトリクス[13]では、どのビジネスにも適用できる、最も一般的な戦略を5つ提示している。私はその中でも、差別化型、ドミナント（独占的）型、ディスラプティブ（破壊的）型戦略だけをピックアップすることにした。早く成長したければ、この3つの戦略が一番機能するからだ。

次ページの図のとおり、これら3つの成長戦略はそれぞれ独自の優位性を持っている。

ドミナント型SaaS成長戦略

ドミナント型成長戦略は、競合他社と比較して、サービスのレベルが高く、かつ、かなり安い価格で提供できる場合に最適だ。この戦略を取り入れている企業には以下が含まれる。

・Netflix（ネットフリックス）
・Uber（ウーバー）
・Shopify（ショッピファイ）

ドミナント型成長戦略においては、フリーミアムモデルが大きな市場を捉えるのに最適だ。大きな市場とはどの程度の大きさなのか？　ＳａａＳ企業向けのコミュニティを運営するSaaStr（サースター）社の創業者、ジェイソン・レムキン氏によると、フリーミアムモデルを機能させるためには、５０００万アクティブ・ユーザーが必要だという。[14]

私の意見としては、そこまで多くのア

競争優位性 ＼ プロダクト価格	高価	安価
優位	**差別化型戦略** 既存のサービスが不十分だと感じている顧客を狙う	**ドミナント型戦略** 全タイプの顧客を狙う差別化型戦略
劣位	**廃業** 倒産は時間の問題	**ディスラプティブ型戦略** 既存のサービスが過剰だと感じている顧客を狙う

クティブ・ユーザーは必要ないと考えている。なにもすべての起業家が1億ドルのユニコーン・ビジネスを立ち上げようと考えているわけではないからだ。とはいえ、ビジネスとして機能するためには、一定のボリュームのユーザーが必要であることは間違いない。

もしプロダクトがニッチ市場向けで、TAM（最大市場規模）が50顧客程度だとしたら、幸運を祈るしかない。この規模でフリーミアムモデルを導入したら、実際は課金してサービスを使ってくれる貴重なユーザーへも、プロダクトを無料で公開してしまうことになるからだ。

結論

ドミナント型成長戦略では、フリーミアム、フリートライアルいずれも、伝統的なセールスモデル（たとえばデモのリクエスト）と比べると効果がある。なぜならコストは抑えつつ、競合他社がマーケット・シェアを奪い取ることを防いでくれるからだ。低コストで群を抜くプロダクト――それが競争優位性となる。

ドミナント型成長戦略を選ぶときの質問事項

1. フリーミアムモデルに耐えられるだけの大きなＴＡＭ（最大市場規模）を有しているか？
2. 競合他社と比べ、品質の高いサービスを低コストで提供しているか？
3. ユーザーはプロダクトの価値を、人手をまったくもしくはほとんど介さずに短時間で体験することができるか？
4. その分野で不動のマーケットリーダーになりたいか？

差別化型ＳａａＳ成長戦略

この戦略は、フォロワーとしてマーケットリーダーに戦いを挑み、勝利を勝ち取りたいときによく選ばれる。

フォロワーとしてマーケットリーダーに対抗するには専門性が必要となる。たとえば、ハブスポットの顧客管理システム（ＣＲＭ）市場のシェアを奪おうとする場合、十分にサービスの恩恵を受けていないニッチ市場（たとえば、不動産エージェント領域）を見つけ出し、そのオーディエンスに特化したCRMをつくるとよいだろう。

差別化型成長戦略では、競合他社よりも優れた特定の機能を、高い価格設定で提供することが求められる。ユーザーを問わない画一的なプロダクトとはならない。

このアプローチは、フリートライアルやデモと相性が良い。一方で、プロダクト特有の専門性と複雑性から、その価値を短期間で実感してもらえるフリーミアム体験をつくることは難しいといえる。

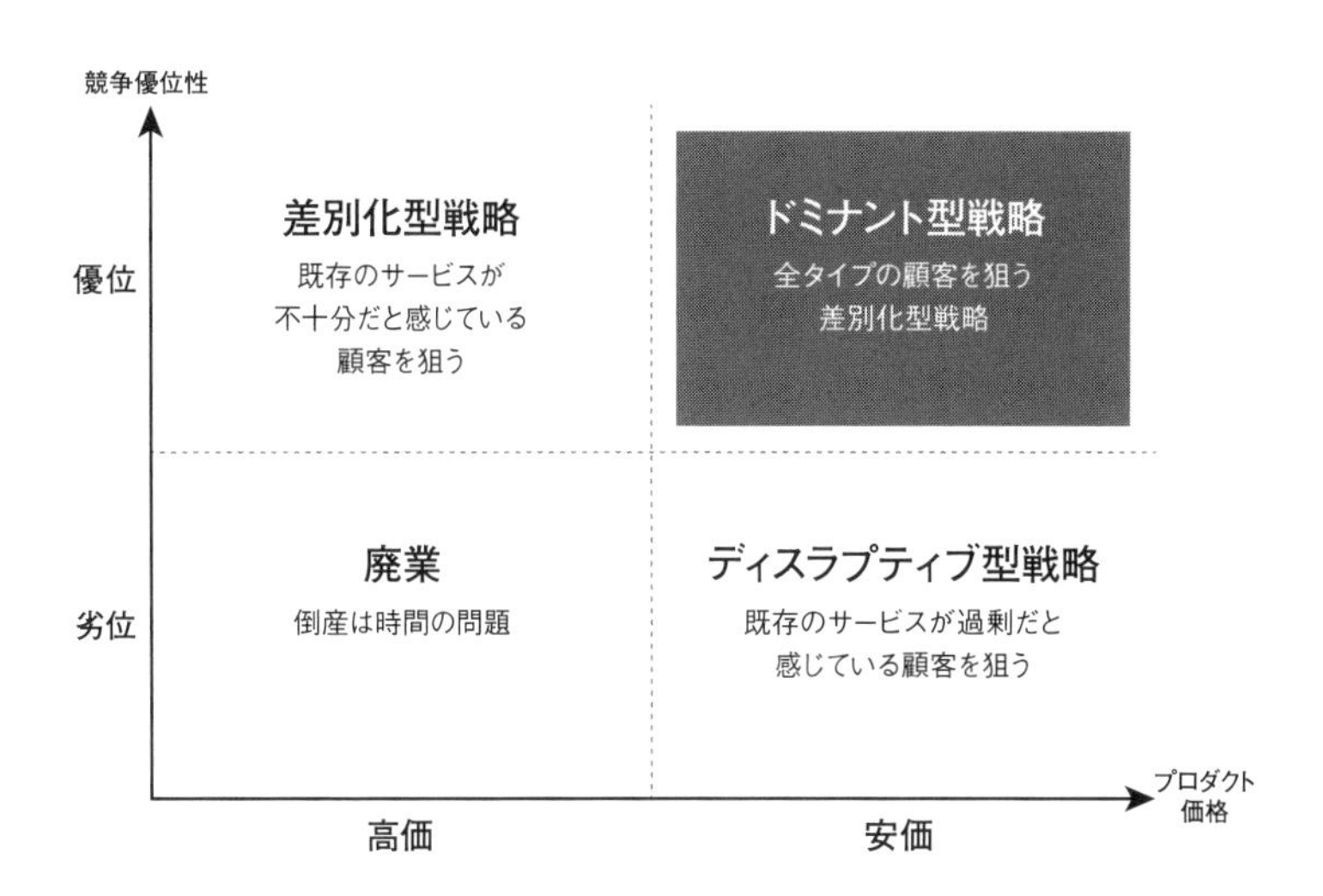

結論

差別化型成長戦略は、フリートライアルやデモとの相性がとても良いが、その市場規模の限界とプロダクトの複雑性から、フリーミアムモデルだとうまくいかない場合が多い。競争優位性は、顧客の課題解決にある。

差別化型成長戦略を選ぶときの質問事項

1. 市場に、既存のプロダクトでは不十分だと感じている顧客層はいるか？
2. TAM（最大市場規模）の大きさは？
3. ロータッチまたはハイタッチセールスを支えられるだけのACV（年間契約金額）は確保できるか？
4. フリートライアル期間中に、見込み顧客が驚く体験を提供できるか？

ディスラプティブ型SaaS成長戦略

成長著しいSaaS企業は「ディスラプター」と呼ばれることが多いが、そのネーミングに惑わされてはいけない。実際にディスラプティブ型成長戦略を取り入れている企業は少ないのだ。

なぜかというと、ディスラプティブ型成長戦略をとると、多くの人から「劣ったプロダクト」と捉えられ、価格を低く設定して提供しなければならないからだ。大多数の人はこれを良く思わないが、そんなことはない。Canva（キャンバ）というプロダクト（シンプルでカスタム可能なグラフィックツール）を使ったことがある皆

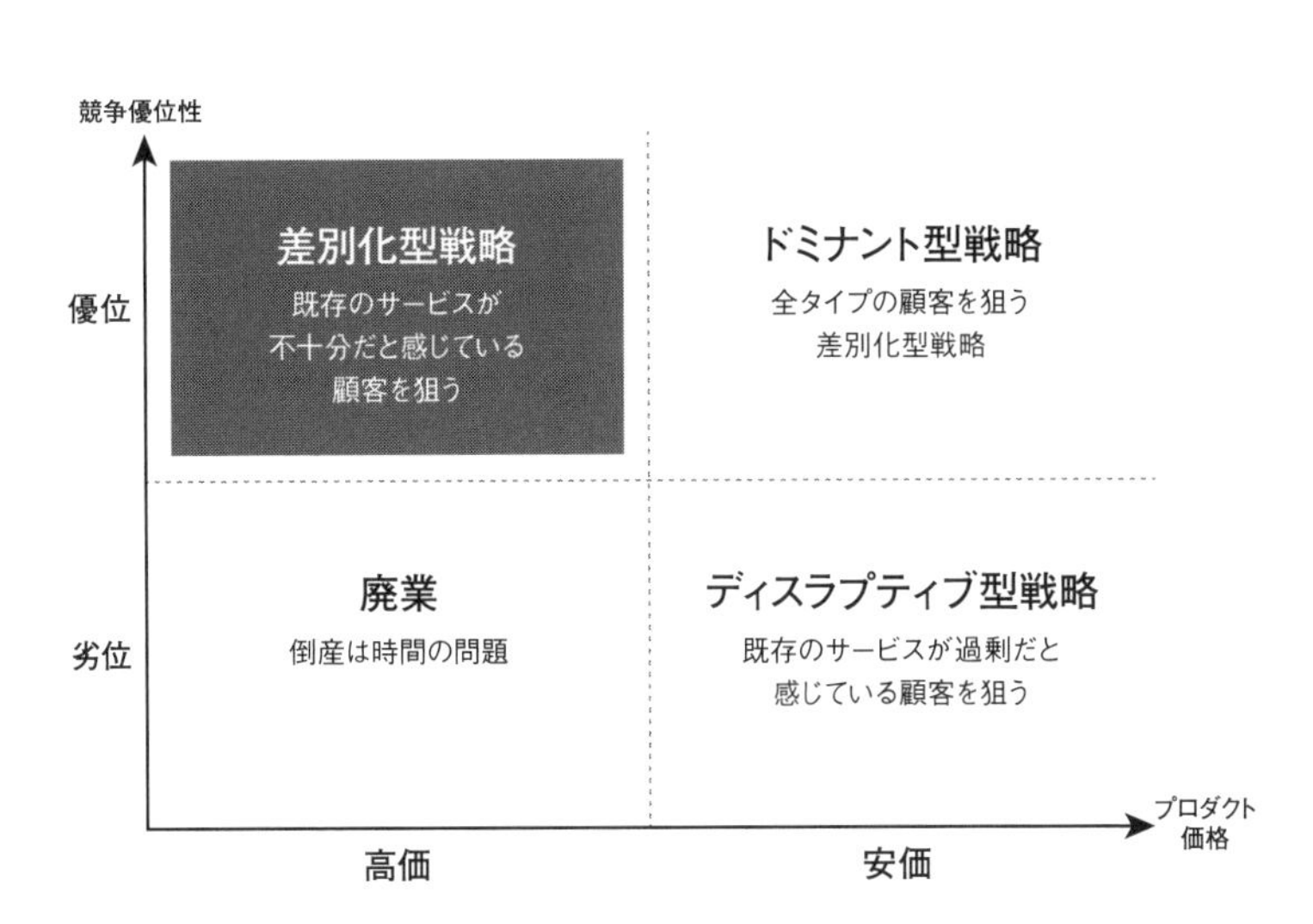

さんなら、このアプローチがどういうものか、既に体験している。キャンバとAdobe（アドビ）社のPhotoshop（フォトショップ）の機能を比べると、キャンバはすべてにおいて劣っている――しかも、かなり。

だが、この特定の市場では、既存のサービスが過剰だと感じている顧客が多く存在していたため、キャンバは、ソーシャルメディア用のグラフィックを簡単につくりたいといった具体的な課題を解決する、シンプルなプロダクトを生み出すことに成功した。このアプローチをとっている企業は少ないが、他にも次のような例がある。

- Google Docs（グーグル・ドックス）Microsoft（マイクロソフト）のWord（ワード）に対抗
- Udacity（ユダシティ）伝統的な大学に対抗
- Wave（ウェーブ）伝統的な会計ソフトに対抗

結論

このディスラプティブ型成長戦略にはフリーミアムモデルが適している。価格を低く抑えることで、既存ソリューションを使っている見込み顧客を惹きつけられる。

一方、既存ソリューションのスケール・ダウン版であるため、ツールの使いやすさを磨くことは必須だ。ディスラプティブ型成長戦略でもフリートライアルを取り入れることは可能だが、フリーミアムモデルが持つ「ユーザーを惹きつける引力」よりは弱まる。

ディスラプティブ型成長戦略を選ぶときの質問事項

1. 既存のサービスが過剰だと感じているユーザーが市場に多く存在するか？
2. 競争が激しい市場か？
3. フリーミアムモデルを取り入れられる十分な市場規模があるか？
（ヒント：市場規模を把握するためには競合他社を調査しよう）
4. フリーミアムモデルを支えられるだけのリソースがあるか？
5. プロダクトのオンボーディングは完全にセルフサービスで行えるか？

アクティビティ：成長戦略の意思決定

さあ、ここまで読んだら、あなたのＳａａＳプロダクトの成長戦略を、ドミナント（独占的）型、差別化型、ディスラプティブ（破壊的）型のうちから選んでみよう。

マーケット戦略を選ぶときの質問事項

1. ベストなソリューションを、一番安く提供したい？（ドミナント型成長戦略）
2. 十分にサービスを受けていない顧客向けに、特定ニーズを満たすべくカスタマイズされたソリューションを、一番高い値段で提供したい？（差別化型成長戦略）
3. 過剰にサービスを受けている顧客向けに、最もシンプルなソリューションを、一番安く提供したい？（ディスラプティブ型成長戦略）
4. それとも、複数の戦略を掛け合わせたハイブリッド戦略にする？

マーケット戦略を決めたら、それが市場の外的要因と整合性がとれているかを確認する必要がある。この確認におすすめの方法は、あなたのビジネスが置かれている市場がレッド・オーシャンとブルー・オーシャンのどちらかを把握することだ。

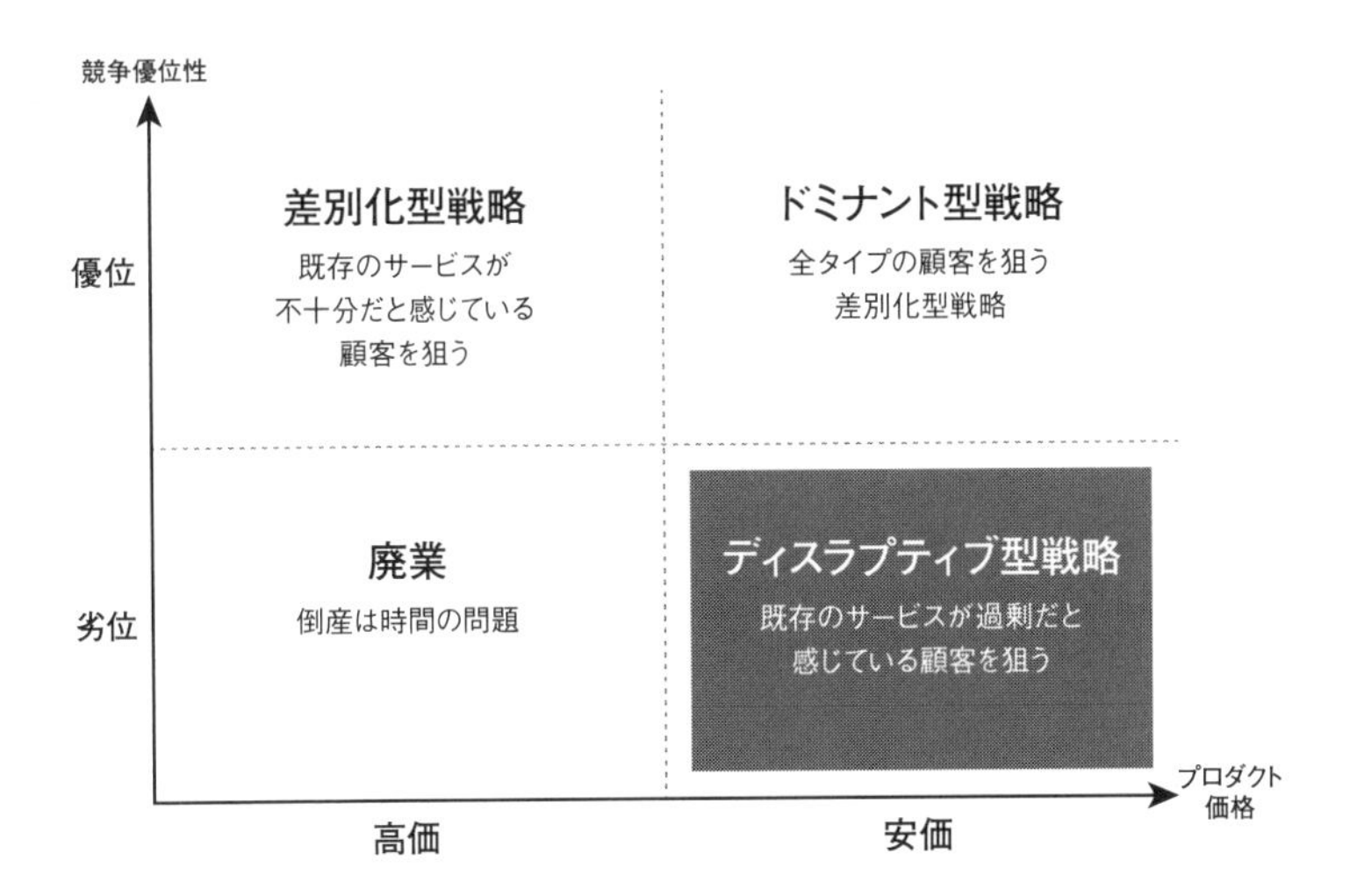

第3章

海(オーシャン)のコンディションを調べる

あなたのビジネスはレッド・オーシャン？それともブルー・オーシャン？

オーシャン戦略があなたのPLGモデルにどう影響するかという議題に入る前に、まずはブルー・オーシャンとレッド・オーシャンの違いを説明しよう[15]。

2つのオーシャン戦略の主な違いは表のとおりだ。

レッド・オーシャンにいる企業は、既存需要の中でより大きなシェア獲得を目指し、競合他社よりも成果を出そうとする。市場への参入者が増えてくると、見込み顧客から得られる収益と成長は鈍化する。プロダクトはコモディティ化し、激しい競争によって海（オーシャン）は血色に染まり、レッド・オーシャンとなる。

レッド・オーシャン戦略 （需要を獲得する）	ブルー・オーシャン戦略 （需要を創出する）
既存の市場で競争する	未開拓の市場を切り開く
競争に勝つ	競争を無意味なものにする
既存需要を余すことなく 獲得する	新しい需要を創出し 占有する

2つのオーシャン戦略の主な違い

一方、**ブルー・オーシャンにいる企業は、まだ開拓されていない市場に参入し、自らニーズをつくりだす**。よって、高い収益性のある成長が見込める。ブルー・オーシャンにおいて、競争は無意味だ。もちろん、模倣する企業は現れるが、そんな模倣者に対し、先行できるだけの多くの機会が広がっていることが、経験からもいえる。

もしあなたがレッド・オーシャンで争っているのなら、既存需要を奪い取るために戦っているということであり、ブルー・オーシャンにいるのなら、新たな需要を生み出そうとしているということだ。あなたがどちらのオーシャンにいるか判断するためには、「我々は需要を生み出そうとしているのか？　それとも獲得しようとしているのか？」と問うだけでは不十分だ。また、市場調査や競合調査を行い、自分たちはレッド・オーシャンにいると推測することも十分とはいえない。

なぜなら、市場のうち一部のセグメントはレッド・オーシャンで、一部のセグメントはブルー・オーシャン、ということがあるからだ。たとえば、ビジネス・インテリジェンス（ＢＩ）のソフトウェア会社に勤める私のクライアントは、大企業向けのＢＩソフトウェアはレッド・オーシャンであることがわかり、戦略を転換。同じマーケットでも、ブルー・オーシャンである中小企業向けにフォーカスすることにした。

さあ、あなたも自社がターゲットとしている市場セグメントを深堀りしてみよう。想像していたほど競争は激しくないかもしれない。

オーシャンの状況はPLGとどう関係する？

自社のビジネスがブルー・オーシャンにいるか、レッド・オーシャンにいるかによって、異なるアプローチが必要だ。留意点を説明していこう。

ブルー・オーシャン

ビジネスがブルー・オーシャンにあり、新たなニーズを生み出しているなら、プロダクトを理解してもらうまで時間を要するだろう。プロダクトを売る前に、まずは市場に対して、あなたの提案する新しいアプローチが今より良いものだと人々に啓蒙していく必要がある。

セールスフォースを例に挙げよう。サービス開始当初は、データの紛失や盗難を不安視する顧客も多く、セールスチームがクラウドベースのCRMの有用性を説明する必要があった。

もしセールスフォースがはじめからロータッチのプロダクト主導型モデルを取り入れていたとしたら、このような批判に反論することは不可能であり、ほとんどの人がプロダクトを買わなかっただろう。誰も理解できていないプロダクトを売ろうとしても、マーケットリーダーにはなれない。このような理由から、ブルー・オーシャンにおいては、セールスやマーケティング主導型のGTM戦略を取り入れる企業がほとんどである。

他方、ブルー・オーシャンであっても、音楽ストリーミングサービスのSpotify（スポティファイ）のようにユーザーが瞬時にプロダクトの価値を体験できるものであれば、PLGモデルを取り入れることができる。

結論

プロダクトがブルー・オーシャンにあって、ユーザーがプロダクトの価値を体験するのに時間がかからない場合は、ＰＬＧモデルを取り入れよう。

一方、プロダクトが複雑なものなら、まずはセールス主導型のＧＴＭ戦略で、ユーザーを啓蒙しながらニーズを生み出していこう。

いずれにせよ、将来的にプロダクト主導型のアプローチを導入するか、また導入する場合はいつにするかを検討しよう。

レッド・オーシャン

レッド・オーシャンでは、見込み顧客はプロダクトの活用方法・価値を理解しているので、ＰＬＧモデルが優位性を持つ。ＰＬＧモデルが、ファネルを広げ、ＣＡＣを引き下げ、スピード感のあるグローバル展開を可能にしてくれる。

さらに、ＰＬＧモデルでは「非顧客層」と呼ばれる、通常ならば自分から見積もりやデモリクエストをしないような層へもアプローチできる。非顧客層であったとしても、プロダクトを試す意思はあり、自らのニーズに合えば、購入もする。

このトレンド（ルールとまではいえないが）は、私がこれまで分析してきた何百ものSaaS事業に共通するものだ。

・ブルー・オーシャンのビジネスは、セールス主導型のGTMで成功している
・レッド・オーシャンのビジネスは、プロダクト主導型のGTMで成功している

ライブチャットアプリケーションを例に取り上げよう。最初に市場に登場したころは、ほとんどの企業が伝統的なセールス主導型GTM戦略を取り入れたが、カテゴリーが成熟すると、今度はプロダクト主導モデルを取り入れていないライブチャットアプリケーションを見つけるのが難しくなった。セールスフォースのプロダクトマネジメント・ディレクター、パンカジュ・プラサド氏は次のように述べている。

「ひとたび市場が成熟したら、展開戦略として選ぶのは、PLGモデル一択だ」

結論

レッド・オーシャンにいるなら、ファネルを広げ、CACを引き下げ、グローバル展開を目指すために、PLGモデルを取り入れよう。このケースでは、可能な限り早く、効率的に成長する必要がある。

ブルーかレッド、どちらのオーシャンにいるか判断するための質問事項

1. 新たな需要を創出しているのか、既存需要を獲得しているのか？
2. プロダクトの価値を実感するまでの時間は短いか？
3. マーケティング・セールス、PLGのうち、どちらが自分たちのビジネスに適しているのか？

PLGがあなたのビジネスに最適かどうか判断する前に、正しいオーディエンスをターゲットにできているか、よく確かめよう。

第4章

オーディエンス

販売戦略はトップダウン型とボトムアップ型のどちらか?

これまでの時代であれば、契約書にサインするのは意思決定権を有するマネジメント層であり、ＳａａＳプロダクトを売る際は企業のマネジメント層にアプローチするだけでよかった。

ところが今は違う。プロダクト価格は以前と比べかなり安価になり、多くの場合、プロダクトを購入するのに営業担当者に問い合わせる必要もなくなっている。マネジメント層がすべてのプロダクトの購買判断を下すかわりに、現場の従業員が同等の意思決定権を持つようになったのだ。

スラックはボトムアップ型の販売戦略を実践する企業の代表例だ。１人のユーザーが同僚を招待することから始まり、やがてチーム全体が参加するといった具合に、プロダクトの利用は組織的に広まる。そしてその広がりは、チームマネージャーがそのプロダクトを価値あるものとみなし、課金をするときにピークを迎える。このプロダクトを軸にした戦略で、スラックはわずか3年でゼロから40億ドルの企業価値になるまでに成長した。

トップダウンとボトムアップ、どちらの販売戦略を採用するにせよ、それが自社のビジネスに適しているかは把握しておく必要がある。
次にこの2つの戦略の違いを解説しよう。

トップダウン型の販売戦略とは?

【トップダウン型の販売戦略を採用する企業】SAP、Oracle(オラクル)、IBM

トップダウン型の販売戦略では、セールスチームは企業のキーマンとなる意思決定者やマネジメント層にターゲットを絞りアプローチする。典型的なケースとして、企業全体のビジネスに関わる大型の案件では、この戦略をとる場合が多い。

統一感を重視するビジネスの場合、トップダウン型の販売戦略が成立するといえる。マネジメント層は得てして、組織一体としてビジネスを推進したい、リソースを効率的に配分したいと思うものだ。全社で1つのプロダクトを導入すれば済むところを、わざわざ各国のセールスチームごとに別々のCRMを導入しようとは考えない。

大規模導入を前提とする場合、トップダウン型のシステムが必須だ。一般的に、案件規模が大きいほど、顧客サポートとトレーニングが必要になる。

SAPが良い例だ。プロダクトを導入したら、その後ユーザーがきちんとプロダクトを活用できるよう、追加のトレーニングや人員を提供しなければならない。エンタープライズ（大企業）向けソフトは、購入してからその価値をチーム全体が理解するまで、12～16カ月はかかるともいわれている。

トップダウン型の販売戦略では、組織のトップである意思決定者層に販売するのが一般的である。だが契約段階では本当のセールスはまだ始まったばかりであり、その後、実際に活用する社内のチームメンバーにプロダクトの価値を説明する必要がある。

ボトムアップ型の販売戦略とは？

【ボトムアップ型の販売戦略を採用する企業】Slack（スラック）、DocuSign（ドキュサイン）、Atlassian（アトラシアン）

Ｂ２Ｃにおいては、ボトムアップ型の販売戦略を採用するのがあたりまえとなっている。フェイスブック、ツイッター、Evernote（エバーノート）は、どれも数分あれば導入できる。トップダウン型の販売戦略が、案件成約までに何カ月も、場合によっては何年もかかる（プロダクトを使いこなせるようになるまでにはさらに1年かかる）のに対し、ボトムアップ型の販売戦略では、導入の早さとプロダクトのシンプルさが求められる。

フリートライアルかフリーミアムモデルを採用しているビジネスで、ボトムアップ型の販売戦略が機能する場合が多い。プロダクト主導型モデルを選択すべき大きな理由は、ほとんどのユーザーが、プロダクトの価値を早い段階で実感できなければアップグレードしないからだ。

トップダウン型かボトムアップ型かを選択する前に、各戦略の主な利点と欠点を説明する。

トップダウン型とボトムアップ型販売戦略のメリット・デメリットは？

トップダウン型とボトムアップ型、どちらの販売戦略がよいか選ぶ際は、GTM戦略をもとに検討しよう。自社のビジネスがどちらのモデルに近いか、考えながら読み進めてほしい。

- トップダウン型の販売戦略は、セールス主導型のGTM戦略に適する
- ボトムアップ型の販売戦略は、プロダクト主導型のGTM戦略に適する

トップダウン型の販売戦略のメリット

1．高いACV（年間契約金額）の確保

トップダウン型の販売戦略を取り入れるということは、大型契約を結ぶこととほぼ同義の場合が多い。この戦略は、MRR（月次経常収入）を底上げする良い方法になるだろう。

＊MRR（Monthly Recurring Revenue）
月次経常収入。毎月決まって発生する売上。クラウドサービスなど契約ベースのビジネスで使用される

2．追加サービスの獲得

トップダウン型の販売戦略では、トレーニング等のサービスの追加販売という恩恵を受けられる場合が多い。必ず売れるという確証はないが、大規模導入では、トレーニングはほぼ確実に必要になる。

3．低い顧客解約率

プロダクト導入が高額かつ長時間を要することから、多くの顧客がプロダクトを切り替えることに否定的である。顧客の課題をきちんと解決している限り、ほぼ確実に、その先も毎月の利用料を支払い続けてくれると期待できる。

米国の投資家ブライアン・キンメル氏によると、エンタープライズ向けプロダクトの場合、他のセグメントと比べて、解約率は格段に低いという[16]。

トップダウン型の販売戦略のデメリット

何事も万能ではないように、トップダウン型の販売戦略にも大きなデメリットはある。

1. 一顧客への売上依存度の高さ

トップダウン型販売戦略では、顧客との関係性が一番の成長エンジンとなる。一般的に、セールスチームがターゲットとするのは「クジラ」だ。購入

セグメント	毎月の顧客解約率（%）	年間の顧客解約率（%）
SMB（中小企業）	3〜7%	31〜58%
ミッドマーケット（中堅企業）	1〜2%	11〜22%
エンタープライズ（大企業）	0.5〜1%	6〜10%

企業のセグメントごとの顧客解約率

者をクジラに見立てるのは失礼だと個人的には思うが、実際に多くのセールスチームが大口顧客をそう呼んでいる。トップダウン型販売戦略においては、売上の大半を1つの案件が占めることを許容しなければならない。1つの案件を（多くの場合、予想外に）失うことが、売上全体に大きな影響を与える。

2．高いCAC（顧客獲得コスト）

キーマンと関係を構築するには時間を要することから、トップダウン型の販売戦略はCACが高くなる。ハイタッチ型セールスがCACの主な構成要素であることも想像に難くない。

3．長いセールスサイクル

高いCACに加え、契約獲得までに長い時間がかかる場合が多い。

結論

契約成立と同時に、本当のセールス活動が始まる。その後、実際にプロダクトを活用する従業員層に納得してもらわなければならない。これは必ずしも不利なことではないが、もともと導入に賛同していなかった中間管理層がいた場合、反発にあう可能性がある。

まとめとして、トップダウン型販売戦略の概要を表に示した。

次に、ボトムアップ型販売戦略を検討する場合のメリットを見ていこう。

ボトムアップ型の販売戦略のメリット

ボトムアップ型の販売戦略におけるビジネスの成長エンジンは、プロダクトそのものである。プロダクトが、ユーザーのオンボーディング、プロダクトの価値証明、そしてアップグレード

メリット	デメリット
高い販売金額	一顧客への売上依存度の高さ
追加サービスの販売機会	高いCAC
低い顧客解約率	長いセールスサイクル

トップダウン型販売戦略の主なメリット・デメリット

までを担う。ボトムアップ型の販売戦略を採用する組織の多くは、プロダクトを購入する際に誰かと話す必要すらない。ネットフリックスとスポティファイが良い例だ。

B2B領域では、多くの場合、プロダクトで特定の挙動をしたターゲットユーザーに対し営業担当者がアプローチするという、ロータッチでボトムアップ型のセールスアプローチをとっている。ボトムアップ型販売戦略には6つのメリットがある。

1. 広いトップ・オブ・ファネル

フリートライアルまたはフリーミアムモデルを取り入れることで、カスタマージャーニーの早い段階から、幅広い層にアプローチできる。

2. 低いCAC

セールスチームとの接点が最小限に抑えられているため、ボトムアップ型では、CACを圧倒的に低く抑えることができる。また、プロダクトの実際のユーザーである中間管理層が導入への後押しをしてくれるケースが多いのも利点の1つだ。

3. 売上の予測性

ボトムアップ型の販売戦略なら、ファネルにおけるフリートライアルまたはフリーミアムユーザー数、そのうちどのくらいの時間軸で何パーセントユーザーがアップグレードするかを把握できる。いつ案件をクローズできるか予測困難であるトップダウン型の販売戦略とは異なる。

4. 一顧客への売上依存度の低さ

ボトムアップ型の販売戦略では、それぞれの取引額は小額である場合が多い。しかし、トップダウン型の販売戦略と比較すると、幅広いユーザーに対して、利益率の高いサービスを届けることが可能である。一顧客への売上依存度が低いため、１人の顧客を失ったとしても、ビジネス全体への影響は軽微となる。

5. 迅速なグローバル展開

競合他社が世界各国に高価なオフィスを構えようと忙しくしている間に、オンボーディングプロセスを磨き上げ、世界中のユーザーにより早く、安く、サービスを届けることができる。

ケーススタディ

Landingi（ランディンギ）のアンドリュー・ビエダ氏は、フリートライアルや、フェイスブックやGoogle（グーグル）などの有料の顧客獲得チャネルを駆使して、サービスのグローバル展開に成功した。ビエダ氏のチームは、CPC（クリック単価）の最適化や、サインアップに至るまでの顧客獲得コスト、トライアルから有料ユーザーに転換するコンバージョン・レートなどを分析することで、新規ユーザーを効率的に獲得できる市場を見極めると同時に、競争が激しい市場を避けた。

6．短いセールスサイクル

ユーザー自らオンボーディングできるため、タイム・トゥ・バリュー（顧客がプロダクトの価値を実感するまでの時間）とセールスサイクルを大幅に短縮することができる。

ボトムアップ型の販売戦略のデメリット

総じて、ボトムアップ型の販売戦略はビジネスを加速させるメリットを多く持つが、課題もある。主な課題点はコストに関わるものだ。

1．低い契約金額

トップダウン型の販売戦略と比較すると、1社あたりの契約金額が圧倒的に低いため、より多くの契約を獲得する必要がある。ただし、先にも述べたが、1社あたりの売上依存度が低いということはメリットでもある――顧客を1人失ったところで、ビジネス全体に大きな影響を及ぼすことがない。

2．課金機会の喪失

自社のビジネスを十分理解せずフリーミアムプロダクトをローンチしてしまうと、課金機会を失ってしまうことにも繋がりかねない。これは、必要以上の機能を無償で提供してしまうことで、ユーザーが無料版で日々事足りてしまい、アップグレードする必要性を感じないときに生じる。この事態からリカバリーすることは不可能ではないが、それまで無償で活用できた機能に対し、課金してもらうことは容易ではない。

3．多額の投資

無料ユーザーは多くの社内リソースを消費するというデメリットもある。カスタマーサポートが問い合わせ対応に追われたり、セールスチームが無料プロダクトだけで満足しているユーザーに時間を割いたりした場合、多くのリソースが浪費されてしまう。

4. 専門家の不足

フリートライアルやフリーミアムプロダクトの立ち上げや最適化を経験したエキスパートを見つけるのは難しい。現在、多くの企業がボトムアップ型の販売戦略を取り入れようとしているため、このような専門家が不足している。

自社に十分な資金があれば、ＰＬＧの専門家やコンサルタントを採用して、フリートライアルやフリーミアムモデルの導入を支援してもらうことを推奨する。一見高額な投資に思えるが、結

メリット	デメリット
ロータッチ・セールス	低い契約金額
低いCAC	多くの投資を要する
短いセールスサイクル	課金機会の喪失
売上の予測性	専門家の不足

ボトムアップ型販売戦略の主なメリット・デメリット

果、多くの時間やセールス・マーケティング費用を抑えることができるだろう。その余裕がない場合は、最適なモデルに至るまでの試行錯誤の時間を考慮する必要がある。

自社のビジネスにはどの販売戦略が向いているか？

子供の頃、磁石の陽極同士をくっつけようとする遊びに夢中になった。試したことがある方ならお分かりのとおり、同じ極同士だと反発し合う。

この例を挙げたのは、販売戦略もGTM戦略に沿ったものでないといけないからだ。プロダクトがフリーミアムモデルで、トップダウン型の販売戦略を採用していたとしたら、この2つのアプローチは反発し合ってしまう。ところが、販売戦略をプロダクト主導のモデルに変えると、更なるシナジーを発揮する。

ＰＬＧモデルと販売戦略の相性は下の通りだ。

フリーミアムとトップダウン型

フリーミアムモデルがトップダウン型の販売戦略とうまくいくケースはほとんどない。フリーミアムモデルを活用して意思決定者にプロダクトの使い方を訴求しても、意思決定者のほとんどは、そのプロダクトの実際のユーザーにならないので、彼らをオンボーディングさせることに意味はないからだ。

フリーミアムまたはフリートライアルとボトムアップ型

中間管理層やチームメンバーを魅了できるだけのボトムアップ型販売戦略

PLGモデル	販売戦略	結果
フリーミアム	トップダウン型	失敗
フリーミアム	ボトムアップ型	成功
フリートライアル	トップダウン型	成功／失敗
フリートライアル	ボトムアップ型	成功

PLGモデルと販売戦略の相性

があれば、彼らに実際にプロダクトを試し、プロダクトの価値を体験してもらうことで、上層部へ導入を働きかけてもらえる。

フリートライアルとトップダウン型

フリートライアルをトップダウン型販売戦略と掛け合わせた場合、結果はどちらともいえない。

私が以前働いていたB2B／SaaSのスタートアップでは、トップダウン型の販売戦略でフリートライアルを取り入れていた。ところがユーザーの契約後、オンボーディングは実施されず、フォローアップのメールも送信せず、カスタマーサポートもなく、ユーザー体験はひどいものだった。

開発チームに改善を提案したが、反発を受けた。当時のCTOは、フリートライアルをデモリクエストと同じと捉えていたようだ。珍しいと思われるかもしれないが、実際にはよくあるケースである。企業がトップダウン型の販売戦略を導入する場合、「デモリクエスト」を「顧客」にコンバージョンできるだけの組織体制と専門性が必要である。チームにはデモリクエストの目標があり、フリートライアルはデモリクエストと競合する存在となる。

このケースでは、間もなくウェブサイトからフリートライアルが削除されるという残念な結果に終わった。フリートライアルが、うまくいく可能性もあったが、みな四半期の売上高という目先の目標を追わなければならず、フリートライアルはその短期目標の達成には邪魔だったのだ。

もし、自社のマネジメント層が、フリートライアルの推進に否定的である場合、自分がマネジメントの1人であるか、圧倒的な成果をすぐに残せない限り、状況を変えるのは困難だろう。成功させるには、フリートライアルのプロダクトを立ち上げる時点で、マネジメントも巻き込み、現実的な期待値を合意しておく必要がある。

総じて、トップダウン型販売はセールスチームに負荷がかかる。ボトムアップ型アプローチであれば、見込み顧客自身にプロダクトの価値を実感してもらうことができる。

トップダウン型とボトムアップ型、どちらの販売戦略がよいか決めるときの質問事項

・プロダクトを簡単に使うことができ、その価値を容易に体験できるユーザー層をターゲットにしているか？

・1顧客あたりのACVはいくらか？　ロータッチまたはハイタッチのセールスモデルを支えられるだけのACVが確保できているか？

プロダクトの価値を素早くユーザーに訴求できないのであれば、残念ながらPLG戦略は適さない。

第5章

タイム・トゥ・バリュー

いかに早く価値を示すことができるか?

「マーケティングとセールスの観点から見て、PLGはゲーム・チェンジャーといえる。なぜなら、プロダクト価値を見込み顧客に確実に届けられるし、その価値をユーザーの購入プロセスに合ったタイミングで示せば、プロダクトは他の力を借りることなく売れるからである」

——ジュリアナ・ケイセル
クレイジーエッグ社　マーケティング部長

成功するプロダクト主導型ビジネスを生み出すには、素早いタイム・トゥ・バリューが必要だ。新規ユーザーは、プロダクトの売りとなる価値をできるだけ早く、誰からのサポートも得ずに体験できる必要がある。その価値を少しだけ体験するにも手取り足取りのサポートが必要になるのなら、ほとんどのユーザーはサインアップ後、二度とサイトを訪れることはないだろう。

これは私だけの意見ではない。企業向けにメッセージングプラットフォームを提供するインターコムによると、新規ユーザーのうち40～60％は、サインアップ後、サイトを再訪することがないという。プロダクトのタイム・トゥ・バリューを把握するためには、既存ユーザー層を分析しよう。プロダクトや業種にかかわらず、ユーザーは次の4タイプに分類できる。

ミッション・インポッシブル・ユーザー

購入モチベーションが低く、プロダクトを使ってもらうことがかなり難しいユーザー層。

ルーキー・ユーザー

購入モチベーションは高いが、プロダクトを使いこなせないと感じているユーザー層。この層は自社のビジネスにとって好都合な場合が多い。従業員があるプロダクトを使うよう強いられているか、他に代替ソリューションがない場合に顕著化する。

ベテラン・ユーザー

購入モチベーションは低いが、プロダクトを使いこなすのは簡単だと感じているユーザー層。この層は、期待する反応や行動を得るのがたやすく、ターゲットとして設定してある目標値をクリアすることも簡単だが、ふらりと他のプロダクトに乗り換えてしまいやすい。

スポイルド・ユーザー

この層の獲得を目指して、プロダクトの最適化を図ろう。このユーザー層は、購入モチベーションが高く、真っ先にプロダクトを使おうとする。つまり、TAM（最大市場規模）にいる最大限のユーザーを支援できることを意味する。

プロダクトを使っているトップ2のユーザー層はどのタイプだろう。左図をもとに特定してみよう。

さあ、**プロダクトのユーザーとして一番馴染みがあるのは、どのタイプだろうか？**

スポイルド・ユーザーだけだというなら、おめでとう。そうでないなら、プロダクトのタイム・トゥ・バリューを改善する必要がある。幸いなことに、改善する方法はいくらでもある。たとえば、

・モチベーションを強化したいなら、優れたコピーライターを採用しよう
・サインアップ数を増やしたいなら、オンボーディングで不要なステップを省こう

オーシャン状況とは異なり、タイム・トゥ・バリューはコントロールできるものだ。本書のPartⅢで、どのように改善できるか詳しく説明する。

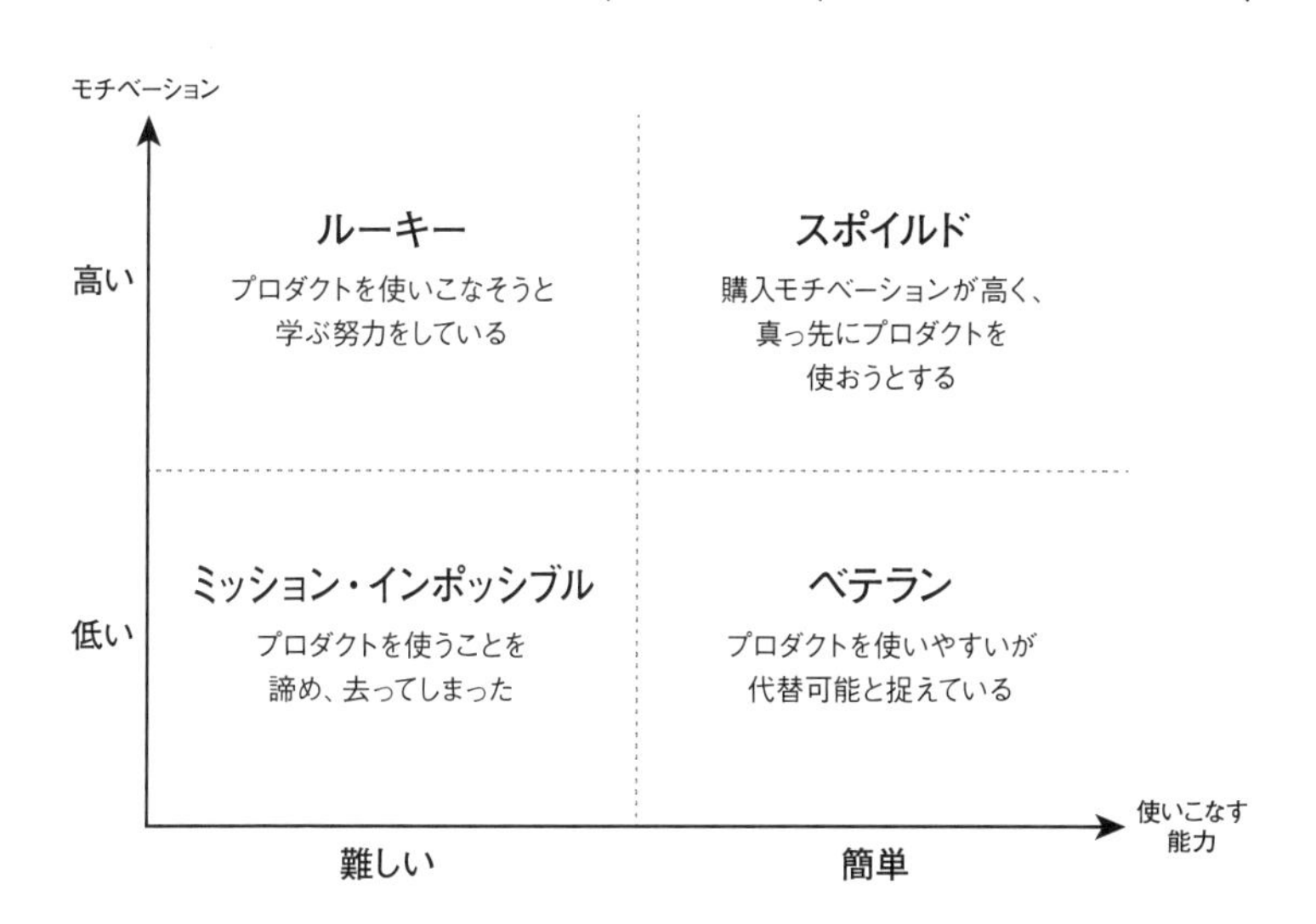

第6章では、まずは次の質問を自分に問いかけてみよう。そして、フリートライアル、フリーミアムモデル、デモのうちどのモデルが自社のビジネスに一番合っているか、絞り込もう。

・サインアップする時点で、ユーザーのモチベーションはどれくらい高いだろうか？
・プロダクトは、ターゲットユーザーにとって使い勝手がよいものになっているだろうか？
・ユーザーが、プロダクトのコアとなる価値を、サポートなしで体験できるようになっているだろうか？

第6章

MOATフレームワークでPLGモデルを選ぶ

ここまで読み進めた今なら、セールス主導型とプロダクト主導型、自社のビジネスにはどちらのモデルが合っているか、絞り込めているころだろう。ＰＬＧが自社のビジネスに合っていると自信を持って言えるなら、次はフリートライアルかフリーミアムモデルかを決めなければならない。

どちらのモデルがよいか、この難しい判断を下すのに、これまで私が何百もの企業を支援してきた経験をもとにまとめた簡単なクイズがある。http://productled.com/quiz/にアクセスして一連の質問に答えていこう。回答結果をチームメンバーと共有し、似た結果だったか比べてみよう。

このクイズは、ビジネスの成長ステージによって、まったく異なる結果が出るようになっていることに留意しておいてほしい。ビジネスの特性と市場の成熟度合に合わせてクイズを設計してある。

クイズの結果がフリートライアルとフリーミアムモデルのいずれの場合でも、ハイブリッド型モデルも併せて検討しよう。ここでは、最も一般的な3つのハイブリッド型モデルを紹介する。

ハイブリッド・モデル　その1
新プロダクトを立ち上げる

自社のビジネスが既に確立されていて、リスクを避けたいなら、新規事業としてプロダクト主導型のプロダクトを立ち上げるという固い選択肢がある。これなら、社内でプロダクト主導型モデルの知見を積むことができるし、このモデルが自社のビジネスに合っているか検証することもできる。それも、現在の主力プロダクトを侵すことなく、である。

これは効果的な戦略だ。我々はこの戦略を、オンライン動画のパフォーマンス分析サービス、ヴィドヤードで検証した。同社内でゴー・ビデオという新プロダクトを立ち上げることで、フリーミアムのGTM戦略を磨き上げたのだ。立ち上げ当初は完璧には程遠いプロダクトだったが、継続的に改善を図ったところ、10万人台もの新規ユーザーを獲得した。この結果から、フリーミアムプロダクトを市場に出す際には、小さなインハウスチームをつくるのが効果的であることが実証された。

ハイブリッド・モデル　その2

トライアル付きのフリーミアムでいく

プロダクトに機能がたくさんある場合は、この戦略がうまくいく可能性がある。フリーミアム版に価値があることが大前提だが、フリートライアルのアップグレードを、フリーミアム版プロダクトに盛り込むのだ。

ハブスポットはこの手法を取り入れ、成功している。無料のセールスマーケティングツールにサインアップすると、ユーザーはすぐにプロダクトの価値を得ることができる。だが暫く使い続けていると、ブロックされている機能も使えるフリートライアルの紹介と申し込みを促すランディングページが表示されるようになる。

これにより、ユーザーはアップグレードする前に、新しい機能を一定期間体験することができる。これは、ハブスポットのセールスチームにとってもメリットだ。新機能を使いたいと「手を挙げた」ユーザーに対して、効果的にアプローチできるからだ。

ハイブリッド・モデル　その3

フリートライアルの後にフリーミアムでいく

たとえば営業支援ツールのナッジ・エーアイ（2020年3月にAffinity社が買収）は、フリートライアル期間の最終日になっても有料版にアップグレードしていないと、フリーミアム版への移行が促される。

このフリーミアムプロダクトはGメール内に居座り、受信ボックスに届いているコンタクト者に関する有益な情報を提示する。ユーザーに価値を提供し続けるだけでなく、プロダクトが忘れ去られないよう安価な広告としても機能している。

他にもハイブリッド・モデルはあるが、これら3つが最も一般的だ。さあ、PartⅡに移る前に、いったん休憩をとって、どのプロダクト主導型モデルが自社のビジネスに一番合うか、考えてみてほしい。もしまだ決めかねているなら、http://productled.com/quiz/にあるプロダクト・レッド・クイズに答え、理解を深めよう。

次のパートでは、プロダクト主導型ビジネスを立ち上げる際の基盤の築き方について解説する。

PartⅡ

自社ビジネスの基盤を築こう

第7章

プロダクト主導型ビジネスの基盤を築く

「リスクは、自分が何をやっているか分からないときにやってくる」

——ウォーレン・バフェット

どんな重要な経営判断もそうであるように、プロダクト主導型ビジネスの構築にもリスクが伴う。その過程には不確かなことがいっぱいあるからだ。無料プロダクトがデモリクエストを食ってしまうかもしれないし、カスタマーサポートは無料ユーザーの対応に追われてしまうかもしれない。想定外なことが起こる可能性はいくらでもあるのだ！

私がこの本を書く以前、プロダクト主導型ビジネスを立ち上げるのに役立つ質の高い情報は、インターネット上にほとんどなかった。大胆な起業家は、それでも突き進んだ。彼らは、世間がまだプロダクト主導型ビジネスの何たるかがよく分かっていない中で作り上げた。未開拓地は起業家の得意分野だ。

たしかにこれらの起業家は、アトラシアン、ハブスポット、スラックといった素晴らしいビジネスを立ち上げた。だが今や、ＰＬＧはリスクを厭わない起業家だけのものではない。まったくもってそれは違う。

ＰＬＧは、救命ボートのようなものだ。上昇し続ける顧客獲得コストや、下落し続けるユーザーの支払意思額などの洪水から、身を守ってくれる。本書ではこの定石を、みなさんのビジネスでもPLGを取り入れやすくするためにまとめ上げた。成功するプロダクト主導型ビジネスの勘所を押さえておけば、リスクを抑えられるだろう。

あなたが今、プロダクト主導型のプロダクトを立ち上げるにあたって検討中だとしても、既にプロダクト主導型ビジネスに取り組んでいて強化を図っている最中だとしても、これから、成功するプロダクト主導型ビジネスに実際必要なものは何かを学んでいくことになる。この章では、UCDフレームワークという、プロダクト主導型ビジネスの確固たる基盤を構築するための手法を解説しよう。

次ページの図のとおり、各ステップは他のステップと密接に関わっている。

U（Understand）：理解する　プロダクトの価値を理解する。
C（Communicate）：伝える　その価値を伝える。
D（Deliver）：提供する　約束した価値を提供する。

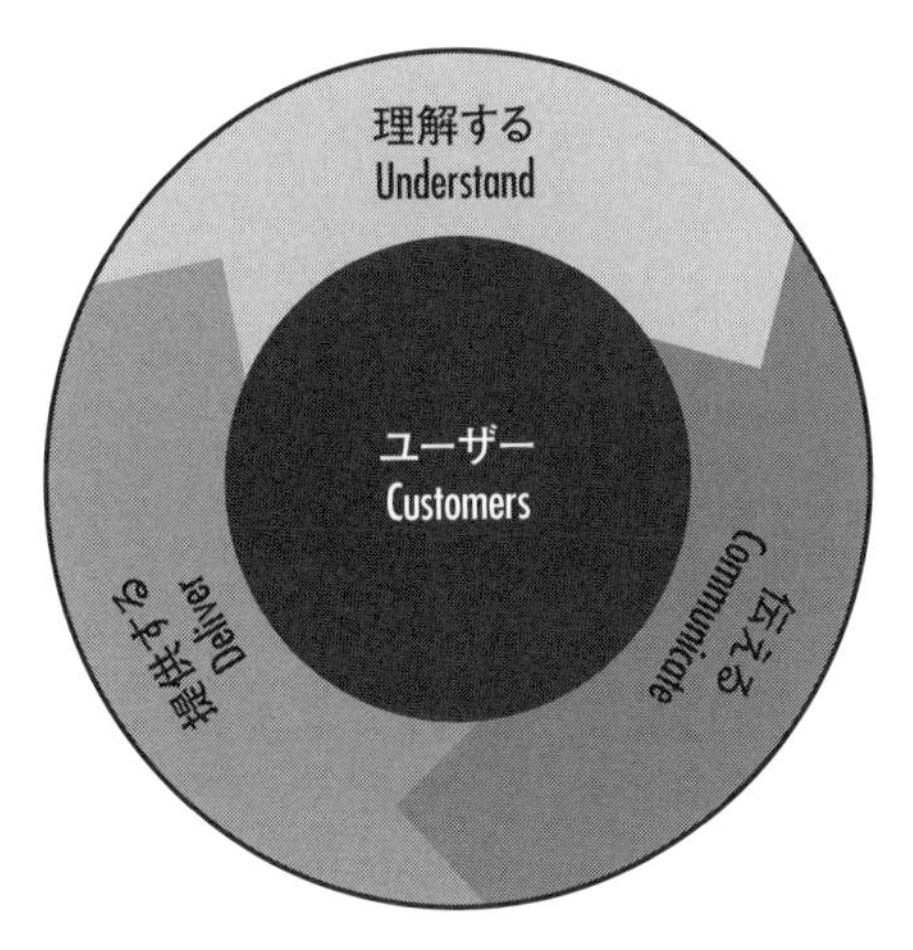

UCDフレームワーク
プロダクト主導型ビジネスの確固たる基盤を構築するための手法

UCDフレームワークの真の価値は、次のすべてのシナリオに適用できる点にある。

1. これから新規ビジネスを立ち上げるところで、プロダクト主導型の道を進みたい
2. 今いる企業で、プロダクト主導型の新プロダクトを立ち上げたい
3. セールス主導型からプロダクト主導型のビジネスへと移行している
4. 今展開しているプロダクト主導型ビジネスがうまくいっておらず、再起を図っている

フレームワークのうちどれか1つでもステップを飛ばしてしまうと、ユーザーに中途半端な体験しか提供できない可能性がある。だから、必ずすべてのステップを踏んでほしい。

では、プロダクトの価値を理解するところから始めよう。

第8章

プロダクトの価値を理解する

たとえば、あなたはインターコムのようなライブチャットソフトを販売しているとしよう。そのとき、あなたが売っているのは、ライブチャットソフトそのものではないはずだ。そのプロダクトを通して得られる、より効果的にユーザーが獲得できる新しいソリューションだ。

我々は何かを売る際、ついプロダクトの機能面を前面に打ち出してしまう。しかし、ユーザーが必要としているのはライブチャットソフトそのものなのだろうか？　いや、そうではないだろう。ツールはライブチャットソフトでなくても構わないはずだ。求めているのは、新しく効果的なユーザー開拓手法なのだから。

ここで何が言いたいかというと、我々は、プロダクトではなく、プロダクトを使うことによって得られる**対価（アウトカム）を売っている**ということだ。

ユーザーの獲得はビジネスをするうえで常につきまとう課題だ。もし企業がユーザーを獲得できなければ、ペイン――マーケティングの目標値を達成できず、従業員に給料も払えず、悲惨な状況――を味わうことになる。

この種のペインはプロダクトに依存しない。だが、ペインにはすばらしい一面もある。ペインから逃れたいがために、現状を変えようと奮闘することができるからだ。

この章を読み進めていくなかで、ぜひ次の質問を自分に問いかけてみてほしい。

「プロダクトを購入する人々は、どんな対価を期待しているのだろう？」

多くのテクノロジー企業は、プロダクトの機能を強化することに気をとられ、人々がなぜそのプロダクトを購入するのか、本当の意味では分かっていない。「我々はウェブサイトとモバイルサポートを支援するライブチャットソフトを売っています」などという見出しがいい例だ。

このコピーは、何を売っているかは分かる。しかし、数ある選択肢のなかからあなたのプロダクトを選ぶべき理由を教えてはくれない。買い手やユーザーが、ライブチャットがどんな課題を解決してくれるのかを知っていることを前提とした言い回しになってしまっているのだ。

このような見出しは、同時に、その企業がユーザーヒアリングに時間をかけなかったことも露呈させてしまう。スティーブ・ブラント氏が言うように、「ユーザーヒアリングを怠るのは、パラシュートのパッキング授業をさぼるようなものだ」。そんなリスクをとる価値はないだろう。

プロダクトを購入する3つのモチベーション

プロダクト主導型ビジネスを成功させるためには、人々がプロダクトを購入するモチベーションとなる3つの**対価**を理解する必要がある。それぞれ解説していこう。

1．機能的対価：ユーザーが解決したい主なタスク

自社プロダクトの機能についてなら、具体的に説明することができるだろう。グーグル広告なら、見込み顧客のリード獲得のために使われる。BI（ビジネス・インテリジェンス）ツールなら、ビジネスの主要KPIを理解するために使われる。

人々がプロダクトを購入する際、機能的対価が考慮されていることは確かだ。だが、感情面や社会面における対価を考慮に入れていないビジネスが多い。しかし、プロダクトを購入する人々が求めている感情的対価と社会的対価を理解していなければ、かなりのユーザー獲得の機会を逃す可能性がある（おしゃれなレストランで30ドルもするハン

バーガーを購入する人と、マクドナルドで2・5ドルのチーズバーガーを購入する人の違いはここにある）。

2. 感情的対価：そのプロダクトの機能的対価から得たい感情、または避けたい感情

感情的対価を理解するのは一筋縄ではいかない。たとえばグーグル広告の場合、ユーザーにビジネスの成長に直接影響力を持っていると感じてもらいたいかと問われたら、もちろんそのとおりと答えるだろう。だが、ユーザーが実際にその手ごたえを得ているかどうかは、当人に聞かない限り分からない。

ＢＩツールの感情的対価はといえば、新しいデータで絶好の機会（または脅威）を発見したときに得られる興奮や驚きの感情だろう。

最後に、社会的対価について理解する必要がある。

3．社会的対価：プロダクトを使うことで得られる他者からの評判

グーグル広告の場合、ユーザーは上司にキャンペーン結果をまとめたレポートを見せるときにそれを得られるかもしれない。ＢＩツールの場合なら、経営層に週次の売上レポートを提出するときだろう。同僚から、どうやったらそんなプロのデザイナーのようにすごい資料がつくれるのかと聞かれるのだから。

人々がプロダクトを購入する背後にあるこれら3つの対価を理解し、そして実践できれば、あなたはプロダクト主導型ビジネスにおいて、強固な基盤を築くことができるだろう。

だが、困難は実践フェーズで起きるのが常だ。たとえば、プロダクトは動画共有サービスを提供するものなのに、ユーザーが動画マーケティングエージェンシーと勘違いしてサインアップしたとしたら、どんなウィザードもプロダクトツアーも、その状況を救うことはできない。

ユーザー調査をどのようにしたらよいか分からないというあなたは、http://productled.com/に登録してみるといいだろう。これは無料コースで、自社のビジネスの3つの対価が何かを特定するのに役立つ。これまで何千ものビジネスの意思決定を支援してきた。

あるいは、ただひたすらデータを分析し深掘りすることも効果的だ。どんなソフトウェアプロダクトにも、主要な対価を提供する利用パターンがあるものだ。

セールス主導型とプロダクト主導型の一番大きな違いは、**プロダクト主導型はこの利用パターンを常に監視し、ユーザーが有意義な対価を得ているか確認する**点にある。

この利用パターンの監視は、プロダクト主導型ビジネスにおいて特に重要であることから、「**バリューメトリクス**」と呼ばれることが多い。

バリューメトリクスでプロダクトから得られる価値を測る

バリューメトリクスとは、**プロダクトから得られる価値を測る方法**である。

「売っているものが靴だとしたら、バリューメトリクスは〝靴1足ごと〟だ。ユーザーが靴を買えば買うほど、自社のビジネスも拡大する」

——プロフィットウェル社

バリューメトリクスは、プロダクト主導型GTM戦略を成功させるためのマイルストーンのようなものだ。売上が顧客獲得モデルと連動するように設定されているからである。

バリューメトリクスは、プロダクトのプライシング、プロダクト指標、そしてチーム編成において重要な役割を担う。ではこのメトリクス、一体どのようなものだろう？

・ウィスティアのような動画プラットフォームのバリューメトリクスは、**動画のアップロード数**だろう

・スラックのようなコミュニケーションアプリのバリューメトリクスは、**送られたメッセージ数**かもしれない

・ペイパルのような決済プラットフォームのバリューメトリクスは、**生み出された売上の総額**だろう

プロフィットウェルのCEO、パトリック・キャンベル氏によると、バリューメトリクスには2種類ある。それは、**機能的メトリクス**と**対価ベースのメトリクス**だ。[17]

機能的バリューメトリクスは「1人あたり」や「100動画あたり」といったものだ。プライシングは使用頻度にもとづくことになる。

一方、対価ベースのバリューメトリクスは、結果に応じて課金される。たとえば、その動画の視聴数や、顧客の利益にどれだけ貢献できたか、といった具合だ。

多くのSaaSビジネスは、より高いプライシングを実現するために、機能の差別化に注力する。だが、それだとより高い解約率を招きかねない。

キャンベル氏も忠告するように、バリューメトリクスを設定する方が、機能を差別化するより、75％低い解約率が実現できる。対価ベースのバリューメトリクスだと、さらに40％低い解約率を可能にする。

キャンベル氏は続けてこう述べている。

売上拡張性の観点から見ると、この傾向はさらに広がる。どちらのバリューメトリクスも、機能差別化型のプライシングモデルと比べて、少なくとも30％の売上拡大が見込める。対価ベースのバリューメトリクスだと、さらに50％近くの売上拡大が見込める。

ただ、すべてのビジネスが対価ベースのバリューメトリクスの恩恵にあずかれるとは限らない。なぜなら、プロダクトを使うことで、どれだけ利益が得られたかということや、どれだけ無駄な時間が削減できたかという数値を調べることができるとは限らないからだ。

とはいえ、このことから、できる限りユーザーに寄り添い、ユーザーが得る価値を数値化することが、どれほど大切かが分かる。

自社のビジネスのバリューメトリクスを特定するにはどうすればよいかという議題に進む前に、まずは一歩下がって、良いバリューメトリクスがどのようなものかを理解しよう。

良いバリューメトリクスに必要な3つの条件

キャンベル氏によると、最高に良いバリューメトリクスは次の3つの条件を満たす。

1．ユーザーにとって理解しやすいものである

プロダクトの料金ページを訪れた人が、何のサービスに支払おうとしているか、どのパッケージが自分に合っているか、即座に分かるようになっているだろうか？　もし不明瞭な場合は、新しいバリューメトリクスを探す必要がある。

プロダクトが既に確立された市場にある場合は、競合他社のプライシングを参考にするのも有効だ。一般的なバリューメトリクスを既に多くの競合他社が採用しているかもしれない。

たとえば、自社のビジネスがeメールマーケティング分野にあるとしたら、多くのサービスはコンタクトできる人数や社数をもとに課金しているので、バリューメトリクスも同じようにするとよい。

しかしプロダクトが、人工知能のような新興市場にあるものだとしたら、バリューメトリクスを選ぶ際は、よりデータドリブンなアプローチをとることを検討しよう（これについてはこの章の後半で解説する）。

2. ユーザーがプロダクトから得られる価値と連動している

ユーザーにとって分かりやすいバリューメトリクスを設定することに加え、そのバリューメトリクスが、ユーザーがプロダクトから受け取る価値と連動しているか、よく確認しよう。

では、プロダクトから得られる対価は、どんな要素から知ることができるだろうか。

たとえば、あなたはライブチャットソフトのビジネスを運営しているとしよう。より多くのユーザーを集客したいなら、ユーザーのウェブサイト上に、ソリューションを使ったメッセージの量を監視するといい。会話数を監視することで、ユーザーがどれくらいの価値をプロダクトから受け取っているか、概ね把握することができる。

もう一つ例を挙げよう。あなたは解約阻止ソリューションを運営しているとする。この場合、何人のユーザーがソリューションを利用しているか――クレジットカードエラーによる解約を防ぐための自動配信メールを設定しているか――を監視する。解約を回避するために送られたメール配信数から、救済できた売上金額が簡単に算出できる。

どちらの例も、特定の対価を得るために何が必要かという点にフォーカスしている。

有意義な価値を得るために必要な要素は何だろう？

- それは、CRMツールで使われたコンタクト者数だろうか？
- それとも、ライブチャットにおける最初の会話数だろうか？

その答えが分かるのはあなただけだ。

3. ユーザーがそのプロダクトから価値を得れば得るほど、大きくなる

最後に、そのバリューメトリクスがユーザー数にあわせて拡大するものであることを確認しよう。

もしユーザーがプロダクトを利用することで多くの価値を得ているとしたら、もっと課金しよう――それだけの価値があるのだから。反対に、もしユーザーがプロダクトで十分な価値を得ていないなら、課金を減らそう。

スラックはこの手法をうまく取り入れており、フェアな課金ポリシーを強調した料金ページを設けている。スラックのバリューメトリクスがメッセージングプラットフォーム上のユーザー数であることから、ユーザー数ごとに課金するのは理に適っている。

だが、多くのユーザーを抱える大企業だとしたら、そのうちどれくらいのユーザーが実際にプロダクトを使っているか分からない、と反論するだろう。この意見に対応するため、スラックはフェアな課金ポリシーをつくった。それは、アクティブユーザーにしか課金しないというものだ。

さて、どんなバリューメトリクスがよいか提案するのは簡単だが、誤ったメトリクスを選んでしまうのはもっと簡単だ。

よくある誤ったメトリクス：ユーザー数課金

最もよくある罠は、ユーザーごとに課金する方法を採用してしまうことだ。多くのビジネスにとって、ユーザー単位で課金をするのは、既に足に巻いてある縄をアンカーにも掛けて、さらにそのアンカーを海に放り出そうとするようなものだ。海へと引きずり込まれないうちにロープを断ち切るためには、新しいバリューメトリクスを見つける必要がある。

プロフィットウェルのパトリック・キャンベル氏はこう説明している。

「ユーザー数課金が、自社のビジネスの成長を妨げ、長期的に見ると失敗に陥る主な理由は、そこにプロダクトの価値があるわけではないからだ」

ユーザーごとに課金されるとしたら、あなたはそのプロダクトをチーム全体でシェアするだろうか？　それとも一部の人の利用に留めるだろうか？　スラックのようなメッセージングアプリであれば、ユーザー数課金はまったく問題ない。多くのユーザーを巻き込むことで、より多くの価値が得られるネットワーク効果があるからだ。

だがスラックは例外だ。それにもかかわらず、Pacific Crest Survey（パシフィック・クレスト・サーベイ）によると、ユーザー数課金が最も一般的だという。[18]なぜだろうか？

「これは直感に反することだが、サービス価格というのは、どのビジネス部門とも関わるものだからこそ、見過ごされがちだ」。キャンベル氏は続けてこう述べている。「プライシングは、マーケティング、セールス、そしてプロダクト——すべての組織の中継地点に位置していることから、責任の所在地が不明瞭なのだ」。

考えてみると、バレーボール競技ではよくあることだ。ボールが4選手のちょうど真ん中に飛んでくると、みなそれぞれ他の人がとってくれるだろうと考え、結局誰もボールをとらない。これほど悔しいことはない。

オープンビューは、自社のビジネスにユーザー数課金が合っているかどうかを判断

条件	例	当てはまる?
それぞれのユーザーが個別に、プロダクトから価値を得ることができる。	LinkedIn Recruiter	
ユーザーには、自社や部署のプラットフォームを標準化したいという強い欲求がある。	Salesforce	
そのプロダクトには、最初のユーザーが周囲の人を招待し、巻き込みたくなるような、ネットワーク効果がある。	Slack	
想定ユーザーは、予算の予測のしやすさとコントロールのしやすさを重要視している。	DocuSign	
購入者は、あまりプロダクト知識がなく、分かりやすい価格体系を必要としている。	Evernote	
利用状況をもとにしたメトリクスは、市場において形骸化している。または必要最低限の指標となっている。	GitHub	

ユーザー数課金モデルのチェックリスト

するためのチェックリストを提供している。前ページのリストを実際に埋めてみてほしい。もしすべての項目で「はい」と答えられれば、ユーザー数課金がベスト・マッチだ。そうでなければ、ユーザーごとに課金する方法は自社のビジネスに合っていない。見直すなら今だ。

バリューメトリクスを見つける方法

バリューメトリクスの良い例と悪い例の両方を把握できたところで、今度は自社のビジネスのバリューメトリクスの特定に移ろう。（ここが一番楽しいパートだ！）

バリューメトリクスを特定すると、ユーザーが有意義な対価を得ているかを監視する際に役立つ。また、バリューメトリクスはプライシング戦略を見直す際にも重要な役割を持つ。

バリューメトリクスの選定を複雑に考える必要はない。はじめから正しいものを選ぶ必要すらない。もし企業規模が小さいなら、データドリブンなアプローチをとることを前提に、複数の仮説を試すこともできる。

バリューメトリクスを選ぶ際の２つの戦略を紹介しよう。企業規模に応じて、バリューメトリクスを特定するのに役立つだろう。最大限の効果を出すためには、両方を融合したアプローチを取り入れることをおすすめする。

ステップ１：客観的分析

そろそろ自社のビジネスのバリューメトリクスになり得る候補がいくつか思い浮かんでいるころだろう。それは、

・メッセージ送信数だろうか？

条件	当てはまる?
ユーザーにとって理解しやすいものか?	
ユーザーが得られる価値と連動しているか?	
ユーザーがそれを使えば使うほど大きくなるか?	

バリューメトリクスのチェックリスト

・ユーザー数だろうか？
・売上の総額だろうか？

紙を1枚用意して、思い浮かんだメトリクスをすべて書き出してみよう。書き上げたら、チェックリストと照らし合わせてみよう。

どれくらいのリストになっただろうか。うまく機能しそうなバリューメトリクスは見つかっただろうか？　もしまだであるという場合は、この本を脇に置いて、先の3つの条件を満たすものが見つかるまでブレーンストーミングし続けよう。

以降は、このバリューメトリクスをもとに、どうすればユーザーが素早くかつ頻繁に、プロダクトから価値が得られるかということに注力する。見いだしたバリューメトリクスで突き進みたい気持ちは分かるが、このメトリクスはあまりにも重要なので、その前に、データドリブンなアプローチでメトリクスを精査することをおすすめする。

ステップ2：データドリブン・アプローチ

どんなＳａａＳビジネスにも、様々なタイプのユーザーがいるものだ。すぐに解約するユーザーもいれば、ほとんど使わないユーザー、パワーユーザー、そして高いＬＴＶを持つユーザーもいる。

利用パターンを分析する際、プロダクトデータをユーザー層別に分類しないまま測定する方が楽ではある。だが、そうすると全ユーザーに対して最適化しやすい一方で、コアユーザーに対しては最悪の体験を提供しかねない。

たとえば、コアユーザーのプロダクトデータを分析すれば、想定ユーザーと合致したユーザーはオンボーディング体験を簡素化し、想定ユーザーと合わないユーザーは分析対象から除外する、といった対応が可能になる。こうすると、サインアップ後のアクティブ率は下がるかもしれないが、無料から有料ユーザーへのコンバージョン率は上がるだろう。

プロダクトデータから有意義なインサイトを得るには、コアユーザーと解約ユーザーの利用パターンを比べてみることだ。データ分析をする際には次の質問を自分に問いかけてみよう。

1. コアユーザーは、普段このプロダクトをどのように使っているだろうか？
2. コアユーザーがこのプロダクトでやらないことは何だろうか？
3. コアユーザーがオンボーディングの際、最初にやることは何だろうか？
4. コアユーザーで、プロダクトから価値を多く得て成功している人の共通点──年齢・性別・職業・住所などの属性、チーム構造、能力──は何だろうか？

解約ユーザーに対しては、次の質問を問いかけてみよう。

1. ユーザージャーニーをコアユーザーのものと比べた場合、主な違いはどこにあるだろうか？
2. 具体的にどんなアクティビティに違いがあるだろうか？　解約ユーザーはなにを達成することができ、なにを達成できなかっただろうか？
3. 解約ユーザーはターゲット市場内にいたか？
4. 解約ユーザーの主な解約理由は何だったか？

どの質問に答える際にも、プロダクトデータですべて検証しよう。すべてというのは、本当に全部だ。有力候補となるバリューメトリクスがいくつか思い浮かんだら、今度はその実現性をストレステストにかけて検証しよう。

バリューメトリクスの有効性を判断しよう

メトリクスの有効性を判断する際は、先ほどご紹介したバリューメトリクスのチェックリストを使うと一番簡単だ。

だが、このリストには欠点がある。このチェックリストはあなた自身の洞察であり、ユーザーの洞察ではない。

そこで、もう一段理解を深めるため

条件	当てはまる?
ユーザーにとって理解しやすいものか?	
ユーザーが得られる価値と連動しているか?	
ユーザーがそれを使えば使うほど大きくなるか?	

バリューメトリクスのチェックリスト

に、相対的なプリファレンス（選好）分析をしよう。これはプロダクト価値を測るためのシンプルな統計方法で、回答者に、最も好ましいものと最も好ましくないものを選択するよう求めるものだ。

例として、プロフィットウェルの質問票を紹介しよう。

［企業名］について、価格面から見て、次の要素のうちどれが最も好ましいですか？　また最も好ましくないですか？

十分な回答数が得られたら、理想的なバリューメトリクスが特定できるはずだ。

さあ、次はこのバリューメトリクスをオーディエンスに伝える番だ。

バリューメトリクス	最も好ましい	最も好ましくない
アナリティクス	◎	
プレミアム・サポート		
データ連携		
SLA		
シングル・サイン・オン		◎

プロフィットウェルの質問票

第9章

プロダクトの価値を伝える

プロダクトの価値を顧客に伝えることこそがＰＬＧ戦略の核心だ。セールス主導型のサービスは、価格の開示を控え、購入を検討している人には問い合わせを求める。プロダクト主導型のサービスは、スターター向けプランの価格を前面に打ち出すことでこの無駄なステップを省いている。

結果として、フリートライアルやフリーミアムモデルを立ち上げる際には、プロダクトの価格説明ページをリニューアルするという「サイドプロジェクト」も実行することが多い。なぜだろうか？

セールス主導型からプロダクト主導型に移行中の多くの企業は、これまでずっとプロダクトの価格を隠してきた。なかには、特定の有料機能を無償で提供することをインセンティブとして、無料ユーザーの登録を促してきたビジネスもある。

プロダクトの価値を伝える必要性を語りつくすには、１つの章をまるごと割く必要がある。なぜならプロダクト主導型ビジネスにおいては、**売上モデルと顧客獲得モデルは婚姻関係にあるようなものだからだ**（契約結婚だが、結婚は結婚だ）。セールス主導型ビジネスの場合、売上モデルと顧客獲得モデルは別々だ。

セールス主導型のビジネスでは、大型案件を獲得するための関係構築に重きを置く。一方プロダクト主導型のビジネスでは、プロダクトを中心とした顧客獲得モデルが構築されている。プロダクトが使いものにならなければ、従業員に今月の給料を支払うだけの十分な売上は確保できない。自社のビジネスの売上モデルが複雑な場合、フリートライアルやフリーミアムモデルのサインアップ者数にも影響を及ぼす。だから顧客獲得モデルと売上モデルの両方に注力しなければならない。

これを怠ると、早い段階で離婚の道に突き進むことになる。ＰＬＧの伝道師として、そんな辛い結果は耐えられない。

プライシングモデルと顧客獲得モデルを正しく設定する方法

1．料金ページを複雑にしない

フリートライアルやフリーミアムモデルを体験してみようというユーザーのほとんどは、事前に料金ページを確認している。料金ページが5秒テスト（自分に合っているプランがすぐに判断できるか）をクリアできない場合、顧客獲得に悪影響を及ぼす。無料体験さえ受けようとはせず、そのまま離脱してしまうからだ。

料金ページそのものに手を加えるのが難しいという場合は、価格に関する批判への応じ方を見直すとよい。GoSquared（ゴー・スクウェアド）のCEO、ジェームズ・ギル氏は次の方法で対処した。

簡単なことに思われるかもしれないが、我々は料金ページに30秒以上滞在しているビジターに対して、「価格についてご不明な点はありませんか？」というメッセージを表示するようにしたことにより、リアルタイム・ビジターから何百ものユーザーへのコンバージョンに成功した。

プライシングが複雑でない場合でも、多くの機能を無料で提供しすぎるという罠に陥る可能性があるので、注意が必要だ。

2. 有料プランにアップグレードする必要性を感じないような無料プランはつくらない

我々は慈善事業を営んでいるわけではない。これを読んでいるみなさんは、営利目的のビジネスに携わっていることを想定している。フリーミアムモデルで、プロダクト機能の大半を無償で提供してしまうと、有料アップグレードするインセンティブがほぼなくなってしまう。

このバランスをとるのは難しい。目玉機能を無償で提供すると、顧客獲得モデルは強化されるが、同時に人的リソースを蝕むことになる。これがフリートライアルやフリーミアムモデルの立ち上げ初期に直面する、最もよくある課題だ。データがないと、必要以上の機能を無償で提供してしまいがちなのだ。

DialPad notes（ダイヤルパッド・ノーツ）の創業者兼CEO、クレイグ・ウォーカー氏も嘆いている。

我々は無料サービスを気前よくしすぎてしまった。利用頻度が高く、サービスに満足しているハッピーなユーザーは増えたが、これ以上望むものはないからと、有料版へのアップグレードを拒むケースも増えた。我々の競合相手は内にあるというわけだ！

一方で、ほんのわずかしか無料で提供しないというのも、よくおかしがちな過ちだ。こうなると、新しいユーザーにプロダクトの価値を見いだしてもらうことが難しくなる。強力で楽しい機能が、ドアの向こう側に閉ざされてしまっているのだ。

どちらか一方に偏りバランスを崩してしまうと、多くのユーザーがダウングレードしてしまいかねない。そこで、次の点が重要になる。

3．ダウングレードしやすい設計にしない

フリーミアムモデルを立ち上げようという企業から最もよく受ける質問は、「無料プランで機能を提供しすぎて、今いる有料ユーザーが無料版にダウングレードしてしまうことにならないでしょうか？」というものだ。

これを完璧に防ぐのは不可能だが、最小限に止めることは可能だ。まずは、無料提供しようとしている機能のみ使っている有料ユーザー数を調べよう。

・その有料ユーザーのうち、無料プランの想定ユーザー層と合致しているのは何人か？
・その有料ユーザーのうち、何割であれば失っても構わないか？
・この無料機能を提供することで獲得が見込める追加ユーザー数は？
・この機能を無料で提供することで売上は見込めるか？
・この無料機能にバリューメトリクスは含まれているか？

私がこれまで見てきた企業の場合、有料ユーザーのうち10〜15％ほどがダウングレードするリスクがあるのがふつうだった。それでもほとんどが新しいプライシングモデルの採用を選択した。なぜなら、たとえ10〜15％の既存ユーザーを失ったとしても、その後より多くの機能を使ってくれる有料ユーザーの獲得が期待できたからだ。ただし、確固たるカスタマーサクセス戦略ありきのことではある。

さらに、より多くの人をファネル内に取り込むことができるので、無料プランは自社のビジネスの強力な成長エンジンになり得る。長期的な売上を見越した、短期的な損失を受け入れられるだろうか？

4つの主なプライシング戦略

料金ページでプロダクト価値をどのように伝えるかという議題に入る前に、まずはSaaSビジネスの一般的なプライシング戦略を紹介しよう。

企業の一般的なプライシング（価格設定）のアプローチについて、プライス・インテリジェントリーは次のようにまとめている。[19]

ある人は、直観に従うようにと言う。別の人は、まずは直感で動いて、その後見直すべきだと言う。いずれにしても、巷に出回っているプライシングに関する助言の多くは、頭より心に従えというものが多いようだ。

では、どうすれば正しいプライシング戦略を選ぶことができるだろうか？　まずはＳａａＳビジネスにおける４つの主な戦略を紹介しよう。

1．適正判断型（Best-Judgement）のプライシング

これはその名のとおり、あなたとチームメンバーが適正だと思う価格を設定するというものだ。今月の売上が振るわないなら、値下げする。売上は上がっているのに新規ユーザーをサポートしきれていないなら、値上げする。このように需要と供給に添って設定する。

適正判断型は最も効果的ではない戦略だ。なぜならその判断はチームの相対的な経

験に頼るものであり、購入者のプロダクト価値や支払意思額をすべて憶測で設定しているからだ。

憶測は低い売上に繋がる。さらに致命的なことに、そのつもりはなくとも利益の出ないプロダクトを売ることになりかねない。

2. コスト・プラス型（Cost-Plus）のプライシング

コスト・プラス型は、**プロダクトの販売コストと運営コストを計算し、そこに利益マージンを上乗せした**ものだ。この戦略なら、最低限の売上は得られる。

ＳａａＳビジネスにおけるコスト・プラス型の問題点は、たとえユーザー１人あたり毎月１００ドル課金できたとしても、新規ユーザーのサポートに充てられる限界コストがわずかしか残っていない（たとえば1～5ドル程度）可能性があることだ。

コスト・プラス型を採用すると、見込み売上のほとんどをふいにしていることになる。これではフェラーリは手に入らない。でも、競合相手はフェラーリを持っていたとする。このとき、競合相手のプライシングが功を奏しているのだろうか。

3. 競合ベース型(Competitor-Based)のプライシング

競合ベース型のプライシングでは、**競合他社のデータをもとにサービス価格を設定する**。これは、競合他社が価格を公開していれば、かなり簡単に実践できる。もし公開されていなかったとしても、ユーザーになりすますなどして情報を得ることは可能だ。

この戦略の問題は、競合の価格情報を収集するということは、自社のビジネスが競合他社とまったく同じ課題を持つユーザーに対して、まったく同じプロダクトを売っていることを想定しているという点にある。SaaSサービスのレプリカを立ち上げるためにインドにいるチームを雇ったというなら、この想定は間違っていないだろう。だが、ほとんどのケースでは当てはまらない。

もう一つ興味深い盲点は、この手法では、競合他社が自社のユーザー調査やプライシング調査を実施済みであることが想定されているが、実際はそうとは限らないという点だ。

プロフィットウェルの調査によると、7割もの企業がプライシング調査を行っていないという[19]。巷には、憶測だけで設定された価格が多く出回っているということだ！

だから、たとえ競合相手が今フェラーリを持っていたとしても、明日は自転車に乗り換えているかもしれない。分からないものだ。自社の命運を他社の推測にかけることはないだろう。自社のＳａａＳビジネスにふさわしい価格を本気で設定したいなら、バリュー・ベース型のプライシング戦略を取り入れる必要がある。

4．バリュー・ベース型(Value-Based)のプライシング

バリュー・ベース型は、**サービスが提供するバリュー（価値）をもとに価格を設定する**。見込み顧客がプロダクトにいくらの価値を見いだしているかを参考にして決めるのだ。バリュー・ベース型のプライシングと、その過程にあるプライシング調査とユーザー調査の一番のメリットは、それぞれのパッケージプランに何を含めたらよいかが分かる点にある。

このプライシングアプローチは、ユーザーが本当に求めるものが何で、どの機能を開発するべきかの理解を深めるのに役立つ。

どのプライシングアプローチを選ぶとよいか？

プロフィットウェルのCEO、パトリック・キャンベル氏は次のように述べている。

それぞれのプライシング戦略に相性が良いビジネスがある。ガソリンスタンドを運営しているなら、コスト・プラス型が合っているだろう。競争が激しい小売業にいるなら、競合他社と張り合いながらも市場を維持できるだけのプライシングが妥当だろう。

だがSaaSビジネスの場合、有効な戦略はバリュー・ベース型だけだ。SaaSビジネスはユーザーに価値を提供するために存在している。ユーザーがプロダクトにいくらなら支払う意思があるかを調査し、どんな機能を開発してほしいか知ることで、ユーザーから求められるサービスを提供できるようになるだけでなく、ユーザーをより魅了し、より長く使い続けてもらえるようになる。それも売上を得ながら、である。

さあ、どのプライシング戦略を選ぶか？　バリュー・ベース型？
「イエス」と答えたあなた、素晴らしい選択だ。
では、具体的にいくらに設定したらよいかを探っていこう。

プロダクトの価格を決める方法

7割もの企業が、サービス価格を憶測で設定していることから、少数派の道を選び、ユーザーがプロダクトにどれくらいの価値を感じているか把握するために頑張って調査をすることは、大いに価値がある。

価格を決めるときは次の2つのオプションを検討しよう。

オプション1：経済的価値分析を用いたプライシング

経済的価値分析を用いて、プロダクトの知覚価値を見いだす手法。この手法は、これからビジネスを始める場合、データを多く持ち合わせていない場合、ユーザーと価格について直接話せる機会がない場合に最適だ。

オプション2：市場調査とユーザー調査

Simon Kucher & Partners（サイモン・クチャーアンドパートナーズ）、オープンビュー、プライス・インテリジェントリーなどでも実践されてきた、ユーザーの支払意思額を見いだす手法だ。あなたに既に多くのユーザーがいる場合は、このオプションをおすすめする。経済的価値分析よりもずっと正確だ。

では、自社のビジネスに合うオプションの説明へと話を進めよう。

オプション1
経済的価値分析を用いたプライシング

どんなテクニックや戦略でも、価格を設定する際の主なインプットにユーザーを含めていなければ、目指す場所には辿り着けない。もしあなたが、SaaSビジネスのプライシング戦略を、財務、会計、オペレーション、またはセールス部門の機能の一部と捉えて策定しているなら、あなたはやり方を間違えている。つまり、**サービス価格をスプレッドシートの数式だけで決める方法は間違っている**、ということだ。[20]

——リンカーン・マーフィー
カスタマーサクセス専門家

それにもかかわらず、ほとんどの企業は、ユーザーの誰一人にも聞かないまま新しいプライシングモデルをスプレッドシートに並べ立てる。新しいモデルの自滅を防ぐためには、ユーザーの知覚価値を、プロダクトが解決する機能的・感情的・社会的対価の3つで掘り下げるとよい。

1．機能的対価：ユーザーが解決したい主なタスク

機能面において、プロダクトは何の解決を支援しているのだろうか？

一般的に、機能的対価は、売上アップ、コスト削減、時間の効率化などのコンポーネントに分類できる。私の経験上、ＳａａＳ創業者の多くは自社の機能的対価は十分に把握している。もともとは自分の課題を解決するためにつくったソリューションである場合が多いからだ。

たとえば、Funnelcake（ファネルケイク）の創業者マルコ・サビック氏が起業したきっかけは、マーケティング・セールスチームの四半期ごとの業績をまとめ上げるのに、毎回1週間以上数字と格闘していたことだった。[21]

マーケティング・セールスチームにとって「数字を把握すること」がいかに重要か、そしてそれにいかに多くの時間を費やしてきたか、サビック氏は痛感していた。その経験から、リードから契約獲得までをトラッキングできるサービスをつくることにした。

サビック氏のソフトウェアが購入者にとってどれくらい価値があるものか、見積もる方法は何通りかある。

たとえばサビック氏の前社での年収が8万ドルだったとしよう。1週間数字と格闘すると四半期ごとに1538ドル、年間で6153ドルかかっていたとする。

まとめ上げたレポートからは、どのマーケティングチャネルへの投資を取りやめるべきか、どの案件は継続する価値があるか、そしてどうすれば契約に繋がるリードのコンバージョン率を上げられるかが分かる。この分析結果から、年商100万ドルのビジネスであれば、売上を10％——つまり10万ドルは引き上げられるはずだ。

以上を機能面から見ると、サビック氏のツールは年商100万ドルのビジネスに対して年間10万6153ドル以上の価値を提供する見込みがあるということになる。

だが、これはプロダクト価値のごく一部に過ぎない。

2. 感情的対価：そのプロダクトの機能的対価から得たい感情、または避けたい感情

人は好んで「数字と格闘」しているのだろうか？　あなたがサビック氏のようなクリエイティブ・ディレクターだとしたら、そうではないはずだ。四半期に一度向き合わなければならない嫌な仕事で、必要だからやっているだけだろう。

もしあなたがサビック氏で、もう二度と数字と格闘しなくていいと言われたら――電気のスイッチを押すのと同じくらいの労力で同じ結果が得られるとしたら――どれくらい価値があるだろうか？　心の安寧のために、いくらなら払うだろうか。5ドル、それとも5万ドル？　保守的に見積もって、4000ドルは払うとしよう。つまり四半期あたり、たったの1000ドルだ。

これを読んでいるみなさんの中には、「B2Bの世界ではそんな方法で購入判断しない。純粋にROIをもとに合理的に判断している」と反論される方もいるかもしれない。

だが実は違う。**B2Bの購買担当者は、B2Cの購買者よりもずっと感情的**なようだ。グーグルとCEBがB2B購買担当者3000人以上を対象に行った調査結果は、

次のことを明らかにしている。[22]

B2B向けブランドのほうが、B2C向けブランドと比べ購入者との感情的な繋がりが各段に強い。これまで何百ものB2Cブランドを調査してきたMotista（モティスタ）によると、そのほとんどが、10〜40％の消費者と感情的な繋がりを持っていると回答した。ところが同じ調査を9社のB2Bブランドに実施したところ、うち7社が、50％以上の購入者と感情的な繋がりを持っていると回答した。

GetUplift（ゲット・アップリフト）のCEO、タリア・ウォルフ氏は、より広い文脈から次のように説明している。[23]

我々は、ある特定の感情が得られるプロダクトやサービスにお金を費やすものだ。それは、愛されている、安心する、感謝されている、コミュニティの一部に属している、他者よりも強いまたは優れている、といった感情だ。情緒は、オンラインかオフラインかにかかわらず、我々の意思決定において重要な役割を担っている。自社のビジネスを真に成長させたいなら、ユーザーの意思決定プロセスをより深く理解する必要がある。

――タリア・ウォルフ
ゲット・アップリフト社　CEO

3．社会的対価：他者からどのように見られたいか

我々が機能面と感情面、両方の対価を求めてプロダクトを購入することは確かだが、社会的対価の存在も忘れてはならない。

サビック氏のソフトを使えば、マイクロソフトのエクセルにチャートを詰め込むかわりに、経営層にそのまま見せられるプロフェッショナルで見栄えの良いレポートをまとめ上げることができる。

もうあなたは、エクセルマスター（いくらでもかわりがいる）とみなされずにすむ。数字と格闘することに1週間も費やさなかったお陰で、目標達成のための具体的なアクション・プランを練るのに十分な時間が確保できた。経営層はあなたの分析と具体的なプランに感心する。あなたはかわりの利かない人財となった。昇進もした。

サビック氏のソフトウェア購入者にとって、そのプロダクト価値はいくらになるだ

ろうか？　昇進することや、プレゼン中に自分のことを「プロ」と感じられることが、どれほどの価値に値するかを数字で表すことはとても難しい。

社会的対価は数値化が難しいため、プラスアルファの価値として捉えよう。我々はサービスとして、常に期待以上の価値を提供する必要がある。これを実現するための強力な方法は、あなたのプロダクトを選ぶのは格好良いと思われるようにすることだ。

経済的価値分析を完成させる

サビック氏のソフトの機能的価値と感情的価値を合わせたら、年商１００万ドルのビジネスに対して年間11万ドルの価値に値するということになる。これは悪くない数字だ。だが、サービス価格はどうやって決めたらよいだろう？

リンカーン・マーフィー氏は次の解決策を提示している。[24]

価格を決める際は、10倍ルールに従う手法をおすすめする。

「我々のサービス価格はいくらです。なぜなら我々のユーザーは最低でもその10倍の価値を得ているからです」というように提示するのだ。もし私が１００ドルのサービスを売っているとしたら、最低でも1000ドルの価値をユーザーに提供する。価格は、できる限り「正当な」ものを提示するべきだ。
また、価格は「設定したら終わり」ではないことを理解する必要がある。マーケティング戦略全体が、組織編制やユーザーからのフィードバックを受け常に進化し続けるものであるように、プライシングも常に見直すべきだ。

サビック氏のソフトウェアに10倍ルールを適用するなら、我々はそれを10で割ってユーザーに提示するだろう。我々のユーザーなら、そのソリューションに年間1万1000ドル以上払うことも厭わないからだ。

このプライシングモデルを精査するためには、得ている価値に関してユーザーに定期的に聞いてみよう。もしあなたが売上と連動したバリューメトリクスを取り入れていたら、簡単に確認できるはずだ。機能的バリューメトリクスや機能の差別化を取り入れている場合は、ユーザーと話す機会を定期的に設定し、ソリューションはどれくらい価値があるか調べる必要がある。

より科学的な方法がお好みなら、市場調査を実施しよう。

オプション2
市場調査とユーザー調査

市場調査やユーザー調査をもとにしたプライシングは、最も効果がある手法の1つだ。これから紹介するモデルは、ヴァン・ウェステンドルプの価格感度メーター[25]をもとにしている（以降は「Van West Model」（ヴァン・ウェスト・モデル）と呼ぶことにする）。

これはプロフィットウエル、オープンビュー、サイモン・クチャーアンドパートナーズのプライシングの専門家が、ＳａａＳビジネスに助言する際に用いているものと同じモデルだ（このモデルは彼らのフレームワークの一部に過ぎない。彼らの独自手法の全公開は控える）。ヴァン・ウェスト・モデルを取り入れる一番のメリットは、ユーザーが許容できる価格帯が特定できることだ。

ユーザーが許容できる価格帯を把握するのは、次の惨事を免れるために特に重要だ。

1. 高すぎる価格により、多くの売上機会を失ってしまう
2. 低すぎる価格により、多くの利益を失ってしまう（さらに「チープ」なブランドイメージがついてしまう）

次の3ステップで許容可能な価格帯を特定しよう。

ステップ1：質問を準備する

ヴァン・ウェスト・モデルでは、理想的な価格帯を特定するために4つの質問が用意されている。どの時点でプロダクトを高すぎる、または低すぎると感じるかを確認しよう。

1. **高すぎる**　いくら以上だと「我々のプロダクト」は高すぎて購入しないと判断しますか？
2. **安くない**　いくらだと「我々のプロダクト」は高く、いったん検討しようと思いますか？
3. **高くない**　いくらだと「我々のプロダクト」はお得だと感じますか？

4. **安すぎる**　いくら以下だと「我々のプロダクト」は安すぎて、品質に不安を感じますか？

各質問とも、プロダクトの適切な価格帯を見いだすのに役立つ。また、より多くのユーザーに質問するほど、より正確な価格帯が特定できる。

オープンビューのマーケティングVP、カイル・ポイヤー氏はこのヴァン・ウェストモデルを別の方法で活用する方法を紹介している。[26]

正式には4つのカテゴリーの質問をしますが、私は2つに絞っています。それは、ユーザーが「納得できる」価格（価格に見合った価値がある）と、ユーザーが「高い」と感じる（購入を再検討する）価格の2つです。

設定しようと考えていた価格が、「納得できる」平均価格を下回っていた場合は、余分なチップを払うことを意味します。「高い」平均価格を上回っていた場合は、他社に乗り換えられる可能性が高いので、プロダクトの価値がもっと伝わるよう尽力する必要があります。

つまり、ポイヤー氏のアドバイスに従うなら、次のたった2つの質問をすることで、プロダクトの妥当な価格帯を把握することができる。

1. [我々のプロダクト]は、いくらなら「納得できる」（価格に見合った価値がある）と感じますか？
2. [我々のプロダクト]は、いくら以上だと「高い」（購入を再検討する）と感じますか？

もしまだ多くのユーザーがいない場合は、ポイヤー氏の手法を使うことをおすすめする。より多くの回答が得られるからだ。

ところで、どうすれば人々にこのような質問に答えてもらえるだろうか？

ステップ2：質問方法を特定する

既存ユーザーやプロダクトの見込み顧客（PQLs：Product Qualified Leads）が質問の理想的な回答者だ。では、そのような人々にどのように質問するかというと、次の2通りの方法がある。

1．サーベイ・ツール：Typeform（タイプフォーム）、SurveyMonky（サーベイ・モンキー）
2．インタビュー

どちらの方法にもメリットとデメリットがある。たとえば、プライシングに関する4つの質問をするためだけにユーザーとのインタビューを設定することは考えづらい。インタビューは、プロダクトの品質改善とユーザーニーズの理解を深めることを名目に実施するとよいだろう。これなら価格に関することだけでなく、他の有意義な質問もできる。

サーベイを行う場合は、回答者に選択肢を提示し、その中から選んでもらうとよい。

選択肢を示すと、回答率を上げることができる。だが、そもそも妥当な価格帯を把握していなければ、有益な回答結果が得られないので、価格帯を提示するときは細心の注意を払おう。もしくは、回答者に具体的な金額を聞くようにしよう。そうすると、回答率は下がるが、より正確な回答結果が得られる。回答が十分に集まったら、分析に取りかかろう。

支払意思額		$100	$300	$500	$700	$900	$1100
高すぎる	いくら以上だと[我々のプロダクト]は高すぎると感じ、買うのを見送りますか?						◎
安くない	いくらだと[我々のプロダクト]は高いと感じ、買うことをいったん検討しますか?				◎		
高くない	いくらだと[我々のプロダクト]は価格以上の価値があると感じますか?			◎			
安すぎる	いくら以下だと[我々のプロダクト]は安すぎて品質に不安を感じますか?	◎					

理想的な価格帯を特定するための４つの質問

ステップ３：分析する

ヴァン・ウェスト・モデルでは、Ｘ軸に支払意思額、Ｙ軸に各質問の回答率を置く。

まずは、交差する点に注意を払おう。「安くない」線と「安すぎる」線が交差するところに、安さの限界点（ＰＭＣ：Point of Marginal Cheapness）がある。ここが、我々のプロダクトを安いと感じる価格だ。この価格より安く設定してはいけない。

「高すぎる」線と「高くない」線の交差点にあたるのが、高さの限界点（ＰＭＥ：Point of Marginal Expensivenss）だ。ここの価格にプロダクトを設定すると最高だ。この価格以降、人々は我々のプロダクトを高いと感じはじめる。

そして、ＰＭＣとＰＭＥの2点間の範囲が、許容可能な価格帯ということになる。

プライス・インテリジェントリーも述べていることだが、この調査を実施すると、理想的な価格帯以上のことが分かる。

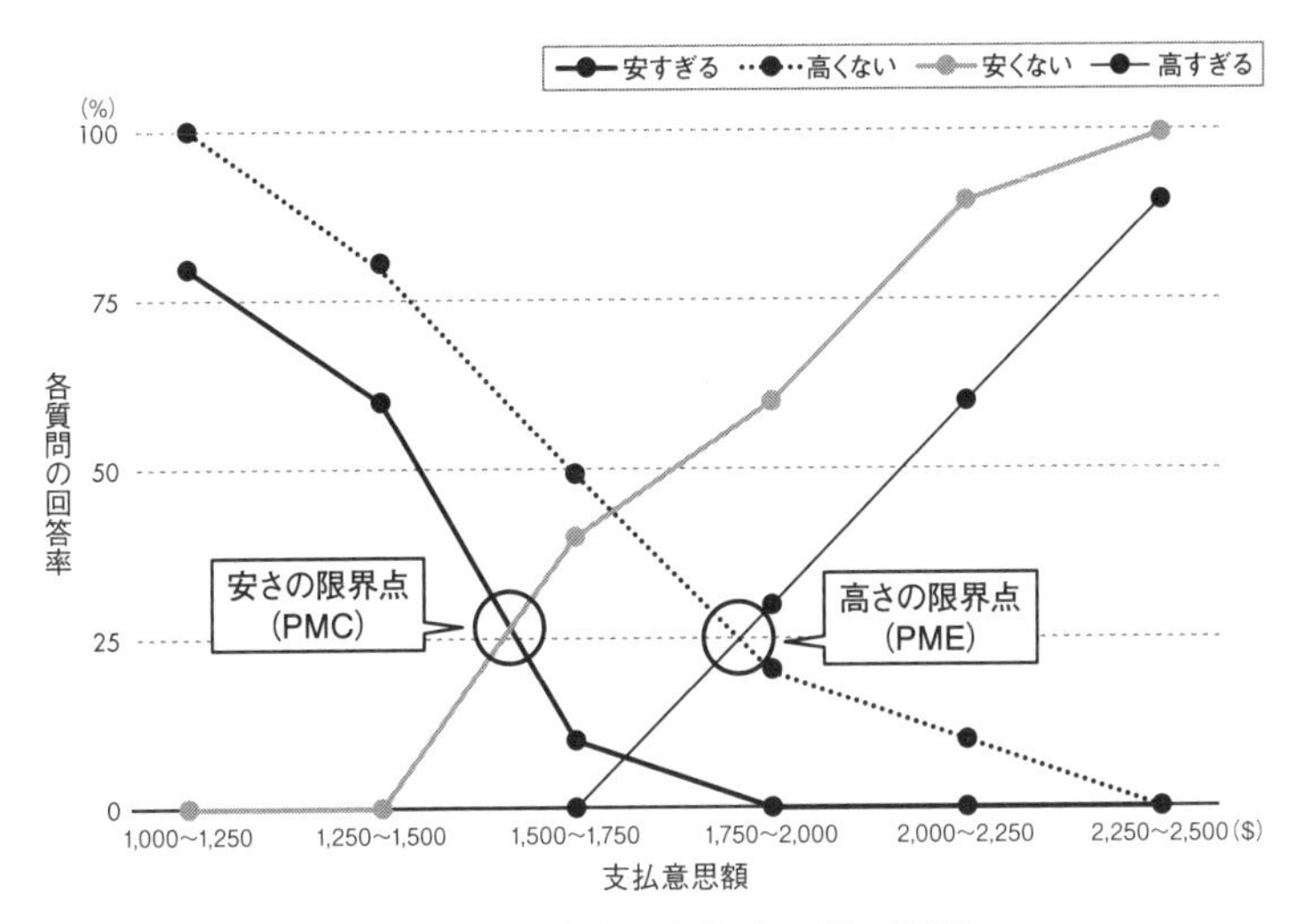

各質問の回答率と支払意思額の関係

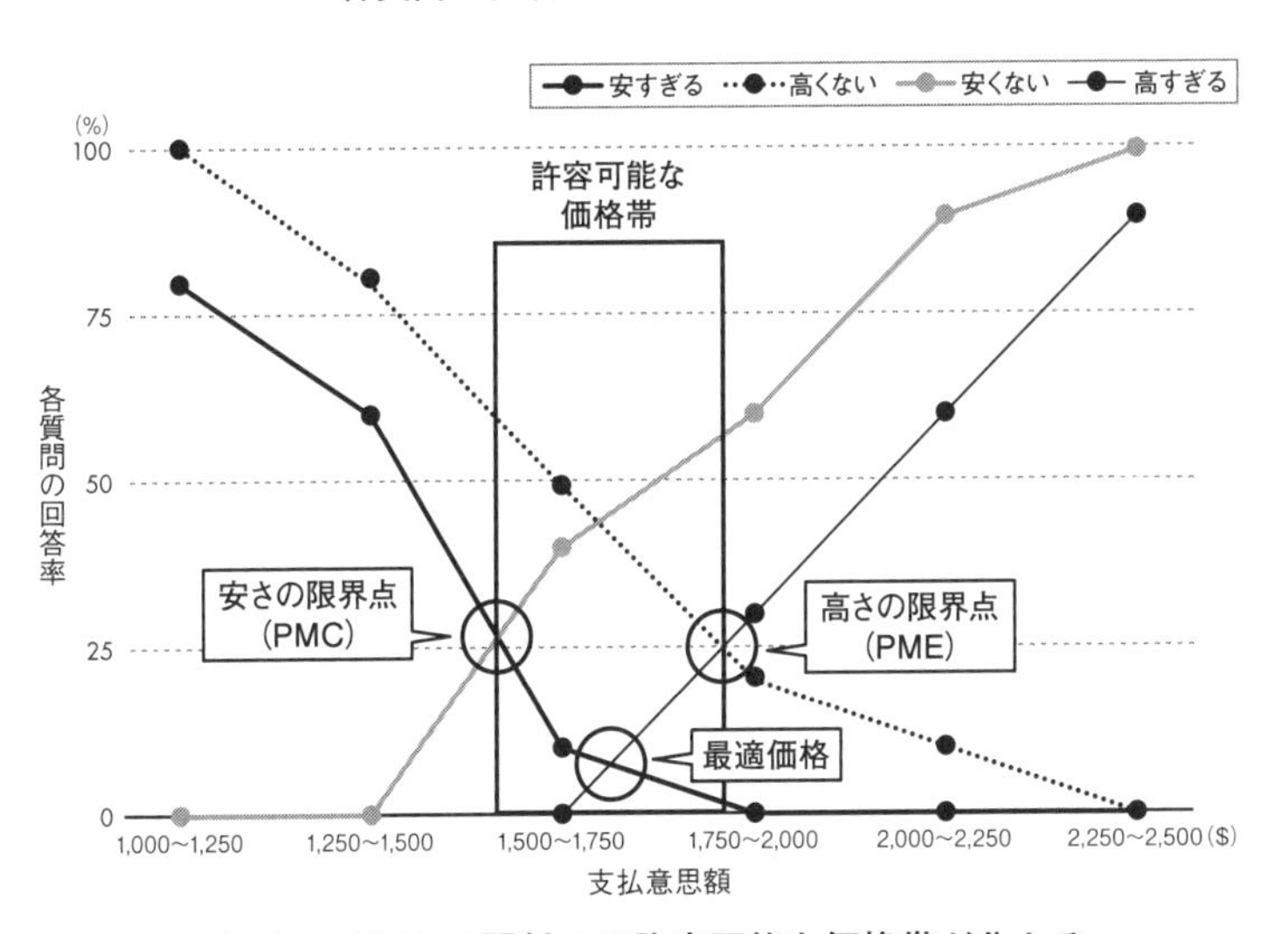

PMC と PME の関係から許容可能な価格帯が分かる

「機能分析と同様、これらの数字を購入者のペルソナごとにブレイクダウンすることで、それぞれの見込み顧客にとって最適な価格が特定できる」

私はそこからさらに深堀りすることをおすすめする。この数字を自社のプロダクトが提供するパッケージごとにブレイクダウンするのだ。

妥当な価格帯が分かったところで、これらすべてを料金ページに載せていこう。

料金ページに何を載せたらよいか?

料金ページをまとめるのに複雑なことはない。必要な要素は次の４つだ。

1. バリューメトリクス
2. すべてのパッケージの支払意思額
3. ユーザーに価値があるとみなされている機能
4. ユーザー属性情報

バリューメトリクスの大切さについては前章で解説した。たとえばウィスティアであれば、バリューメトリクスはアップロードされた動画数または動画視聴数になるかもしれない。ここでは、バリューメトリクスは良好ということにしよう。

支払意思額は、前出の市場調査をもとに提示する。

手ごわいのは、「ユーザーに価値があるとみなされている機能」の項目だ。それぞれのプランにどの機能を含めたらよいだろう？

カイル・ポイヤー氏によると、プランに含まれるカテゴリーは3つだけだ。[26]

1. リーダー

マクドナルドでいうところのハンバーガーだ。みなが欲しがり、そのために買いに来ているもの。これはどのパッケージにも含まれていなければならない。

2. フィラー

フライドポテトとコーラにあたる。含まれていたら嬉しいもので、より魅力的なパッケージになる。これをアラカルト（単品）で売ると、ユーザーはえり好みする。バンドル購入してもらうことで、より高いＡＲＰＵ（ユーザーあたりの平均単価）が実現できる。

＊ＡＲＰＵ（Average Revenue Per User）
1ユーザーあたり平均単価。ユーザー1人から見込める売上。ビジネスの総売上をユーザー数で割ることで算出できる。

3. バンドル・キラー

バリューミールのコーヒーにあたる。ハンバーガー、フライドポテト、コーラ、それに加えてコーヒーもバリューミールに含めてほしいという人は少ない。コーヒーを加えることで、不要なものが入っているからとバリューミールの購入自体を控える人も出てくるだろう。一方で、コーヒーも欲しいというカフェイン好きなユーザーは一定数いる。そのようなユーザーは、バリューミールとは別にアラカルトから購入してもらえばよい。

最後の項目、ユーザー属性情報は料金ページのどこに収まるだろう？　よく分かっているビジネスは、各プランに合致したペルソナをもとにプロダクトを名付けたり、そのプランをよく購入するユーザーに似たニックネームをつけたりしている。

この手法は次の2つの目的をかなえる。

1．顧客が自分に合うプランをより早く見つけられるようになる
2．ターゲット顧客にとって最も有益な機能や利点に注目してもらいやすくなる

これらすべての要素を網羅したら、料金ページの出来上がりだ。

ここまできたら、プロダクトの価値は何か、そしてその価値をどのように顧客に伝えたらよいかについて、理解が深まっているはずだ。

さあ、これで次のチャレンジへの準備が整った。この価値を、優れた品質でユーザーに提供する必要がある。

第10章

価値を提供する

友達や家族に、自らの経験を大げさに言う人はいないだろうか？　そのような話をしばらく聞いていると、彼らの言っていることが信じられなくなるものだ。

ソフトウェア販売にも同じことが言える。我々マーケティング・セールスチームが顧客に約束しているのは、**知覚価値**だ。そしてプロダクトを通して顧客に**体験価値**を提供する。知覚価値は体験価値と連動しているのが理想だ。

サインアップをしたユーザーが、イメージしていたとおりの価値を手に入れられたなら、みなが満足できる。

だが、あいにくそれは稀なケースだ。ほとんどの企業は、実際以上のことがで

知覚価値は体験価値と連動しているのが理想

きるとうたい、想定以下のサービスしか提供できない状態に陥っている。

これがプロダクト主導型ビジネスが勢力を伸ばしている理由の1つだ。人々は「購入する前に試す」ことで、まずはその製品価値を体験したいのだ。

うたっている価値を実際に約束通り提供できる場合は、ユーザーと信頼関係を築くことができるので、この方法でうまく売れるだろう。だが約束が守れなかった場合は、ユーザーはその乖離（バリュー・ギャップ）にがっかりすることになる。

バリュー・ギャップが大きいほど、プロダクトのファネルは水漏れしやすくなる。サインアップをしたユーザーは二度

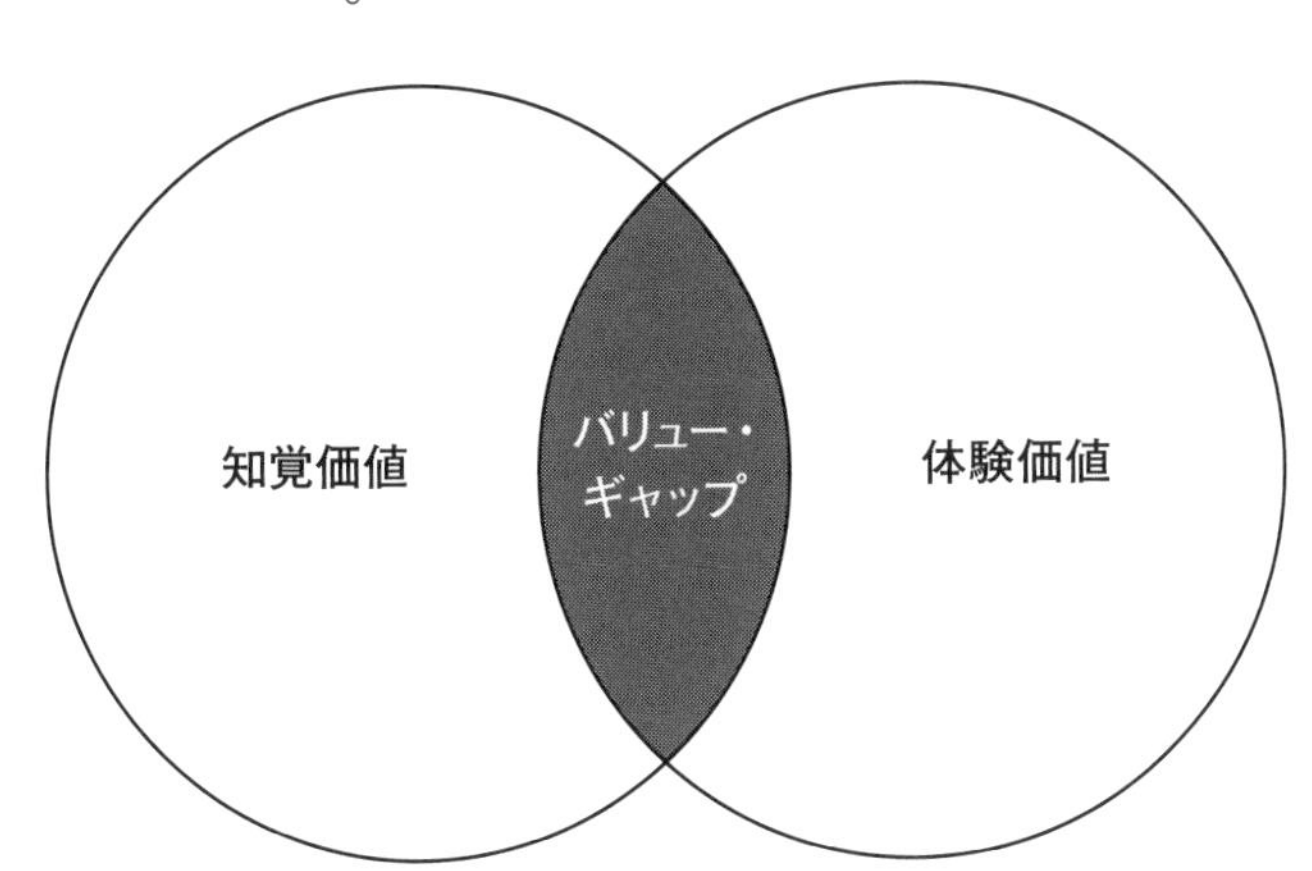

プロダクトでうたっている価値を実際に約束通り提供できなかった場合、
ユーザーはその乖離（バリュー・ギャップ）を感じる

とサイトを訪れないだろう。前章でも述べたとおり、サインアップしたユーザーのうち40〜60％は一度使ったきり二度と戻ってこない。

収益性を上げたいなら、バリュー・ギャップの改善に注力することが、一番かつ唯一の方法だ。ここに対処しておくと、フリートライアルやフリーミアムモデルを構築する際に役立ち、より多くのユーザーが実際に有料プランに移行するようになる。

ＳａａＳ業界において、バリュー・ギャップが顕著化している主な理由は、次の３つだ。

- プロダクトがひどいアビリティ・デッドを抱えている
- 顧客がプロダクトを購入する理由を理解していない
- プロダクトができること以上のことを約束してしまう

自分のビジネスにプロダクト主導型の手法を取り入れる前に、まずはプロダクトのバリュー・ギャップを解消する必要がある。そうすることで、ＣＡＣ（顧客獲得単価）の削減、より多くの顧客獲得、そしてより多くの有料プランへの移行ユーザー獲得を実現しやすい土壌を整えられる。

立ち向かうべき3つのバリュー・ギャップ

バリュー・ギャップ1：アビリティ・デッド

アビリティ・デッドとは、**ユーザーがプロダクトで成果を得られないたびに、あなたがユーザーに負う負債**である。

BIサービスを提供するGrow（グロウ）のCPO、リチャード・キップ氏は、スパゲッティを例に説明をしている。

たとえば、レストランを営んでいるとしよう。その場合、店の提供価値は食事だ。人々は熱々のスパゲッティが食べられると期待して来店する。ところが店に入ると、カスタマーサービスのスタッフに案内されるやキッチンの中に連れていかれ、様々なツールや機能を紹介され、自分でつくる方法を説かれる。

「我々は熱々のできたてスパゲッティをたった5ドルで提供しています！」という触れ込みに誘われて店内に入ると、そこには座って食べられる場所はない。熱々のできたてスパゲッティも用意されておらず、「ちなみに、パスタ、牛ひき肉、ソース、オリーブオイル、玉ネギ、にんにくは、すべて持ち込み式です。ここにある調理器具の使い方はご存じですよね。これでスパゲッティをつくってください」と伝えられるようなものだ。「ありえない」だろう。サービスが解約されるのはこういうときだ。

アビリティ・デッドを少しでも返済するためには、各手順の摩擦を徹底的に抑える必要がある。サインアップ時のアクティベーションメールでさえ、無料から有料ユーザーへのコンバージョン率に悪影響を及ぼしている可能性があるのだ。

グラフィックツールを提供するスナップ社のCEO、クリストファー・ギマー氏は、サービス開始当初、新規会員登録の際はユーザーにメール認証を必ず求めていた。メール認証はＳａａＳサービスではごく一般的だ。

だがギマー氏は、27%ものユーザーが認証をしないままでいるということに気がついた。そのようなユーザーは、仮会員登録をしたきり、二度とプロダクトに触れていないのだ！

1週間も経たないうちに、ギマー氏のチームはメール認証のステップを省くことにした。この1つの変更でスナップの有料版へのコンバージョン率が上がれば、数十万ドルのＡＲＲ（年間経常収益）が期待できた。そして実際、20％のＭＲＲ（月間経常収益）アップに繋がった。

これはごく一例だ。アビリティ・デッドを完全になくすことはできない。キップ氏も述べているとおり、「人々が、調理器具の使い方を学ばなくとも熱々のできたてスパゲッティが食べられるようになるまで、我々は日々テクノロジーを磨き続ける必要がある。ユーザー体験の中で生じるペインや摩擦を取り除くたびに、ＴＡＭ（最大市場規模）も拡大し続けるのだ」。

フリートライアルやフリーミアムモデルの立ち上げ当初は、多少のアビリティ・デッドの発生は避けられない。想定済みだ。

だがプロダクト体験をより良くするためには、常に改善策を探し続ける必要がある。

プロダクト体験を見直す際は、以下の質問に答えよう。

・初回のプロダクト体験で、特定の有効な「クイック・ウィン」を得ることができるか？
・ツールチップやホットスポットは、クリックすべきボタンを示すだけでなく、有効なアクションを促すものになっているだろうか？
・ソーシャルキュー、ディレクショナルキューは、ユーザーの価値のある挙動を示唆するものになっているだろうか？
・ユーザーが主要タスクを完了すると、メールチンプの有名な「ハイタッチ」のように、ユーザーを称え、設定に成功したことを示しているだろうか？（訳注：メールチンプで、主要タスクをすべてクリアしキャンペーンメールを作成すると、送信ボタンをクリックしたときにマスコットキャラクターがハイタッチしているＧＩＦ動画が表示される）
・不要な摩擦や障害は、ワークフローのステップからすべて排除されているだろうか？

どの質問もアビリティ・デッドの削減や排除の機会を特定するのに役立つ。これらの質問は自問してもよいが、最終的には顧客に直接聞く必要がある。ＰａｒｔⅢでは、どうすればこのアビリティ・デッドを減らし、プロダクトの価値を顧客により早く提

＊クイック・ウィン（Quick Win）
短期間で成果が出る成功実績。

＊ツールチップ
UIの中で直接説明がなされていない、見慣れないオブジェクトをユーザーが理解する手助けをするもの。マウスオーバーした際に表示される枠内の補足説明などがこれにあたる。

＊ホットスポット
画像上でリンクを持った部分のこと。

＊ディレクショナルキュー（directional cue）
訪問者がランディングページの戦略的エリア（何らかの行動を起こさせるもの）へ誘導するための視覚的要素の

供できるかを、深く掘り下げて解説する。だが現段階では、あなたのプロダクトはユーザーに何を約束しているのかを明確にすることが先決だ。

バリュー・ギャップ2：顧客がプロダクトを購入する理由を理解していない

その人がどこに行きたいのか理解していなければ、行きたい場所に連れていってあげることはできない。ユーザーがプロダクトで何を成し遂げようとしているのか理解するまで、登りたくもなかった山々に連れ回すことになる。

たとえば、ペイパルで働いている友人のチームが今月は10万リード獲得するという目標を持っているとする。そのペイパル・チームは、グーグル広告、フェイスブック、SEO、リマーケティングなどの手法で、その目標値を達成しようとしているかもしれない。この場合、それぞれのマーケティングチャネルが、10万リード達成という今月の目標達成に貢献しなければならない。

我々はペイパルの提供価値を理解しているので、リード獲得を助けるようなプロダクトを提供しなければいけないことは分かる。だが、ペイパルがその提供価値をもっ

こと。矢印や線などで明示的なものもあれば、視線を誘導するために何らかの画像を用いることもある。

て何を解決したいのか理解していなければ、ペイパル・チームにブランディングキャンペーンを実施するよう強要することになってしまう。

ユーザーが求める主な対価が理解できれば、そのユーザーにとって最も役に立つであろうプロダクト機能を案内することができる。シンプルなビジュアルエディターを提供するキャンバは、ごく短時間で特定の価値を提供することに長けている。

グーグルで「how to make poster（ポスターの作り方）」を検索し、一番上に表示されているキャンバへのリンクをクリックしてみよう。そこからＣＴＡ（訳注：Call To Action. 行動喚起のボタンやリンク）をクリックすると、サインアップ画面に辿り着き、登録すると、すぐにポスター作成のためのセクションに遷移する。１分も経たないうちに、たくさんの美しいテンプレートの中から、ポスターのデザインを簡単に選ぶことができるだろう。

オンボーディングでは、プロダクト全体の流れを紹介するだけで、ユーザーが意味ある価値を得るための具体的なアクションに繋がっていないプロダクトがほとんどだ。これは、友人をディナーに招いておきながら、家の中をさんざん見せて回って食事を出すのを忘れてしまうようなものである。
どんなに素晴らしい家だったとしても、友人はあくまで食事をしに来ているのだ。プロダクトでも同じことが言える。ユーザーはプロダクトがきれいに整頓されていることも期待してはいるが、一番の目的は主要な提供価値を得ることだ。

人々がなぜそのプロダクトを利用するのかを理解できれば、ユーザーを正しい目的地へと導くことができる。ユーザーがそのプロダクトを使う目的の背後にあるものを理解していなければ、ビジネスを力ずくで成長させようとしていることになる。

そのプロダクトは、どんな成果を達成することを支援しているのだろうか？
リードを生み出すこと？　それとも、より多くの想定顧客を獲得すること？

この答えは簡単なようでいて、多くのビジネスが理解できていない。だから、多くのサービスではオンボーディングの段階で、（そのつもりはなくとも）不必要なステップをユーザーに強いているのだ。自身のプロダクトの価値を理解していれば、もしかしたら役に立つかもしれないという理由で、不要な機能をわざわざ紹介することはないだろう。

バリュー・ギャップ３：価値の提供に失敗している

バリュー・ギャップを縮めるためには、正しい期待値を設定する必要がある。実際はテレマーケティングソリューションなのに、ユーザーがライブチャットソリューションだと勘違いして登録したとしたら、混乱を招くことは明らかだ。ユーザーにそのソリューションで何ができるかを明示していたとしても、実現までにどれくらいの時間がかかるかを誤解させているかもしれない。

多くのサービスにおいて、さぞ早く結果が出るのだろうと思わせるようなプロモーションが行われているが、実際はそれよりずっと多くの時間がかかる場合がよくある。

このようなことをすればブランドに傷をつけることになるし、新規ユーザーがプロダクトを体験する前に離脱してしまう可能性も高まる。結局は、プロダクト価値の提供能力を磨き、バリュー・ギャップを縮めることが、ユーザーを最も支援することになるのだ。そこに近道や魔法のツールは存在しない。

プロダクト主導型戦略を立ち上げるときは誰を説得したらよいか？

価値を届ける方法に進む前に、**社内の誰を説得したらよいか**について特定していこう。

次のシチュエーションほど残念なことはない。フリートライアルやフリーミアムモデルの立ち上げや最適化のために、何時間もかけて説得力あるビジネスケースを練り上げたとする。ところがプロダクトチームやセールスチームに邪魔されるのだ。

私が主催するＰＬＧコース[27]出身の生徒が、まさにこの状況に陥った。彼は自社のフリートライアルの最適化プランとして、ユーザー登録ページの必須入力項目を減らそうと試みた。ところがセールスチームに現在の10項目すべて残すことを強く求められ、セールスディレクターを説得するのに３カ月もかかった。

　このようなケースは決して珍しいことではない。私の経験上、実現に向けた障壁の典型例は社内の技術開発責任者（CTO）やセールス責任者だ。

　これはある程度理解できることではある。CTOは、チームがプロダクトの開発ロードマップのスケジュール通りに進行することを望んでいる。セールス責任者は売上目標をクリアする必要がある。フリートライアル時の入力必須項目を減らすという試みがそのアジェンダの邪魔になるようであれば、彼らは即座に潰しにかかるだろう。

　フリートライアルやフリーミアムモデルを立ち上げるには相当の開発時間を要することになり、製品機能の提供に影響を及ぼす。また、デモリクエストと被るので、セールスの目標に悪影響を及ぼすことになる。フリートライアルの立ち上げリスクを低減させるためには、**なぜフリートライアルがプロダクトの成長のために必要なのかを伝え、プロダクトチームとセールスチームを説得する**必要がある。

　これはたやすいことではない。ただ私の経験上、CEOからビジョンへの賛同を得ることができれば、他の部門のリーダーも説得しやすくなる。もし本書を読んでいるのがCEO本人ならば、このステップは既にクリアしていることになる。

フリートライアルやフリーミアムモデルを立ち上げる一番簡単な方法は、まずはMVP（実用最小限）版をローンチし、この試みに時間とコストを費やす価値があるか実証試験をすることだ。この一連のプロセスには24時間もかからない。

はじめからフリーミアムモデルを立ち上げることも可能ではあるが、この段階では控えたほうがよい。差別化、ドミナント（独占的）、ディスラプティブ（破壊的）いずれのGTM戦略を採用していたとしても、まずはフリートライアルから始めるべきだ。フリートライアルがコンバージョン率を上げることが実証できてから、フリーミアムモデルを検討するとよい。

24時間でフリートライアルを立ち上げる方法

フリートライアルのローンチには、開発チームにプロダクトをつくり直してもらい、何十万ドルも投資して実証するといった3〜6カ月もかかるプロセスを辿る必要はない。

フリートライアルは24時間――場合によっては1時間もあればローンチできる。次の2つのことを実践すればよいのだ。

1. サービスのCTA（行動喚起）を、「デモをリクエストする」から「フリートライアルをリクエストする」に変える
2. デモサービスのランディングページの文言にある「デモ」を「フリートライアル」に置き換える

*CTA（Call To Action）
行動喚起。Webサイトの訪問者を具体的な行動に誘導すること。

これだけで、フリートライアルの出来上がりだ。前述の2つさえしておけば、すぐにでも登録をする人が出てくることだろう。フリートライアルにサインアップをした人は、すぐにプロダクトが使えるようになると期待しているはずだ。

ここではユーザーにすぐにその権限を与えるかわりに、ユーザーとのミーティングを設定しておこう。「トライアル」をリクエストしたユーザーに表示するサインアップの御礼ページに、カレンドリー（Calendly）やその類似サービスを使うのだ。

新規見込み顧客との初回ミーティングでは、次のことを行うとよい。

1. これまで同様、顧客の適正診断をする

想定顧客に合致する場合、すぐにでもプロダクトを使ってもらえるよう次のステップに進もう。

2. プロダクトを利用することで一番達成したい成果は何かを聞く

会話は録音・録画しておくとよい。録画もすることで、彼らのボディーランゲージも見逃さないようにしよう。相手が「分かりづらい」と言葉には出さなくとも、その表情から読み取れることはあるものだ。

3. ユーザーがプロダクトを使い自力で成果を達成する様子を観察する

見込み顧客にズームなどで画面共有をしてもらおう。操作手順はすべて説明しないように。相手が苦戦しているところが見たいのだ。苦戦しなければ、顧客はその成果をどうやって達成できたか忘れてしまうし、あなたもプロダクトの欠点について理解を深めることができない。一般的に、ユーザーテストには謝礼を支払う必要があるが、この方法なら無料で実践できる。

オンボーディングセッションを進行するときは、ユーザーがそのプロダクトに期待しているトップ３の成果を探ろう。それらを把握することで、今後、プロダクトに関心を持ち得る人々に訴求する際に役立つ。

最初のオンボーディングセッションを終えたら、次のことを実践しよう。

1．ユーザーの期待値を書き出す

これをスプレッドシートなどに記録し、新しい見込み顧客とオンボーディングを実施するたびに、このリストに加えていこう。そうしているうちに、どの期待値が最も重要かひらめくだろう。

ここで集まった主要成果は、のちのマーケティング活動や初期のオンボーディングの参考にはなるが、まだ早まってはいけない。現段階では、ユーザーを支援することに集中しよう。この時点では拡張性について考える必要はない。トライアルアカウントは手動でつくればよいし、ＡＰＩも設定し連携すればよい。

そうしているうちに、どれくらいのリクエストがくるとチームが管理しきれなくなるかが分かり、何を自動化しなければいけないか見当がつくようになるだろう。

2. 助けが必要な箇所がどこかを特定する

これまでセールス主導型だった所からプロダクト主導型に移行しようとしている企業がつくったプロダクトである場合は特に、ユーザーは重要な成果を獲得するのは難しいと感じるだろう。[28] だが、問題ない。削るべきアビリティ・デッドがたくさんあるだけだ。

オンボーディングセッションを見直す際には、ユーザーが失敗するポイントを重点的に検証しよう。プロダクト体験の改善や助けになるツールチップを追加するよい機会となる。

3. 最後に道筋を整える

主要価値を体験する妨げとなっているものが目につくようになるだろう。オンボーディングにおいて、主要な提供価値に関係のないステップはすべて取り除くべきだ。

先のスナッパの事例で紹介したように、メール認証のステップがあったことで、27％の新規会員登録者が二度とログインしないということが起こりえる。だから、各ステップを再検証する必要がある。

スナッパは、メール認証のステップをオンボーディングから取り除くことで、ＭＲＲを20％上昇させることができた。不要なステップを1つだけ取り除いても、大した効果は期待できないと思われるかもしれないが、やってみないと分からないものだ。

オンボーディングの各ステップを検証することで、ユーザーが求める主要成果への最短の道を整えることができる。ＰａｒｔⅢでは、オンボーディング体験を整え、ユーザーを成功へ導くためのフレームワークを紹介する。

ＵＣＤ（ユーザー中心設計）フレームワークの解説を一通り終えたところで、あなたに挑戦状を用意している。自分が提供する価値に対する理解が乏しくとも、またそれをうまく伝えられなかったとしても、ビジネスを円滑に回し続けることはできる――**価値を届ければいい**のだ。

これがうまくできれば、そして常に安定した品質で提供し続けることができれば、プロダクト主導型ビジネスの強固な基盤を築くことができる。

ある1つの致命的な過ちを犯しさえしなければ。

第11章

プロダクト主導型ビジネスにおける最もよくある過ち

今やＳａａＳ企業のほとんどがプロダクト主導型のモデルを取り入れている。だが、その多くがモデルを一度もアップデートしていない。

私は、経営陣から「プロダクト主導型モデルを導入したのに、なぜ優良顧客が増えないのか」と問い合わせを受けると、植物を買うようにとアドバイスしている。これは冗談ではない。

植物は水をやらないと枯れてしまう。水をやり日光に当てると、すくすくと育つ。この原理はみな知っている。

みなやるべきことが分かっているのに、それでもたくさんの植物が枯れる。なぜか？　それは、**誰も主導権をもっていない**からだ。

たとえば、従業員を雇い、「あなたのやるべき仕事は、この植物に水を与えることだ」と伝えたら、その植物に水はちゃんと行き届くだろうか。もちろんイエスだ。

ここでの問題は、ほとんどのビジネスが、**特定の人やチームに、プロダクト主導型モデルをアップデートするよう命じることがなく、そのために必要なリソースや時間を与えていない**点にある。

マーケティング、セールス、カスタマーサクセス、プロダクトチームに、プロダクト主導型モデルをアップデートする責任を正式に割り当てているだろうか？　この質問に答える前に考える時間が必要なら、プロダクト主導型エンジンを最適化するのにふさわしい人やプロセスを持ち合わせていないということだ。

成功するプロダクト主導型エンジンを動かすチーム人選

チームに誰が必要か特定する前に、人を追加で雇う必要があるかを確認しよう。

1．トライ・アンド・エラーを試みる

ビジネスを自己資金で運営している場合は、この選択肢が有望だ。だが、コンバージョン率が高いプロダクト主導型モデルを作り上げるまでには、長い時間を要する可

能性がある。また、「旧来のやり方」に戻ってしまう確率も高い。私はヴィドヤードで後者の道のりを辿ることになった。[29] セールス主導型に戻るときは、磁石に引っ張られるかのごとく即座に戻るものだ。

2. ドリーム・チームを雇う

この選択肢は得るものが多く、時間がない場合にうまくいく。だがデメリットもある。間違いなく、採用活動、トレーニング、そしてチームを軌道に乗せるまでに多くの時間を要するのだ。この一連の活動だけでも四半期まるごとかかる場合もある。また、言うまでもなく、最適な人員を確保するのは容易ではない。このような人員の需要は高いのだ。

3. チームを鍛える

最も早くプロダクト主導型モデルを回しはじめることができるのが、この選択肢だ。考えてみてほしい。今いる従業員は、既にプロダクトも顧客のことも理解しており、顧客が成功することも強く望んでいる（はずだ）。私がコンサルティングしてきた企業においても、PLGが何たるかまったく分からなかったチームが、1カ月ないし数週間で、目に見える結果を出せるようになった。

だが、すぐにチームメンバー全員をトレーニングしようとしてはならない。まずは小さなチームをつくろう。このチームには次の役割を持つ7人が必要だ。小さなスタートアップビジネスならば、1人が複数のポジションを兼任してもよい。

1. 開発者
2. UXデザイナー
3. プロダクトマネージャー（プロジェクトをリードする人）
4. カスタマーサクセス担当者
5. デジタルマーケター／インサイドセールス
6. CEO
7. CPOまたはCTO

あなたがこの取り組みをリードしている立場なら、各チーム内で一番影響力がある人を選ぼう。この専門チームのメンバーには、やがて社内にそれぞれの小チームを設けてもらうことになるので、注意深く選んでほしい。

専門チームのメンバーを集めたら、そのプロダクトでユーザーが成功するために必要な権限はすべて与えよう。たとえば、フリートライアルの新規ユーザーにはeメールだけではなく手紙を送ること、サインアップしたユーザーひとりひとりに電話をすること、ユーザーにサービスを説明するためのカスタマイズ動画をつくること、などが含まれる。

この時点でビジネスの拡張性を気にする必要はない。肝心なのは、**ユーザーに成功してほしいという熱意ある人材を選ぶ**ことだ。

そして最適なチームメンバーが揃ったら——候補者リストをまとめるだけでもよい——まずは最初の小さな一歩を踏み出そう。その人たち（または企業全体）に、プロダクト主導型モデルの改善アイディアを募り、週の末日までに回答を送ってもらうのだ。

募集メールを送信するには5分もあれば十分だろう。そして数日もすれば、素晴らしいアイデアが集まってくる。留意すべきは、プロダクト主導型モデルを改善する際に一番のボトルネックとなるのは、プロダクトそのものとは無関係であるという点だ。適切なチームメンバーを適切に配置することが重要なのだ。

チームが適切に配置できたら、次は、継続的な最適化プロセスを構築しよう。

PartⅢ

成長エンジンに火をつけよう

第12章

最適化プロセスを開発する

私が運営するコミュニティ、プロダクト・レッド研究所では、「トリプルA」スプリントという、問題点を迅速に特定し、解決策を立て、効果を測定するプロセスモデルを開発した。1カ月のサイクルで行うプロセスで、次の3つの「A」から成る。

1. **A**nalyze：分析する
2. **A**sk：質問する
3. **A**ct：実践する

トリプルAスプリントは、持続的な成長を実現するプロセスとして、企業内のどのチームでも使うことができる。

このスプリントは強力ではあるが、

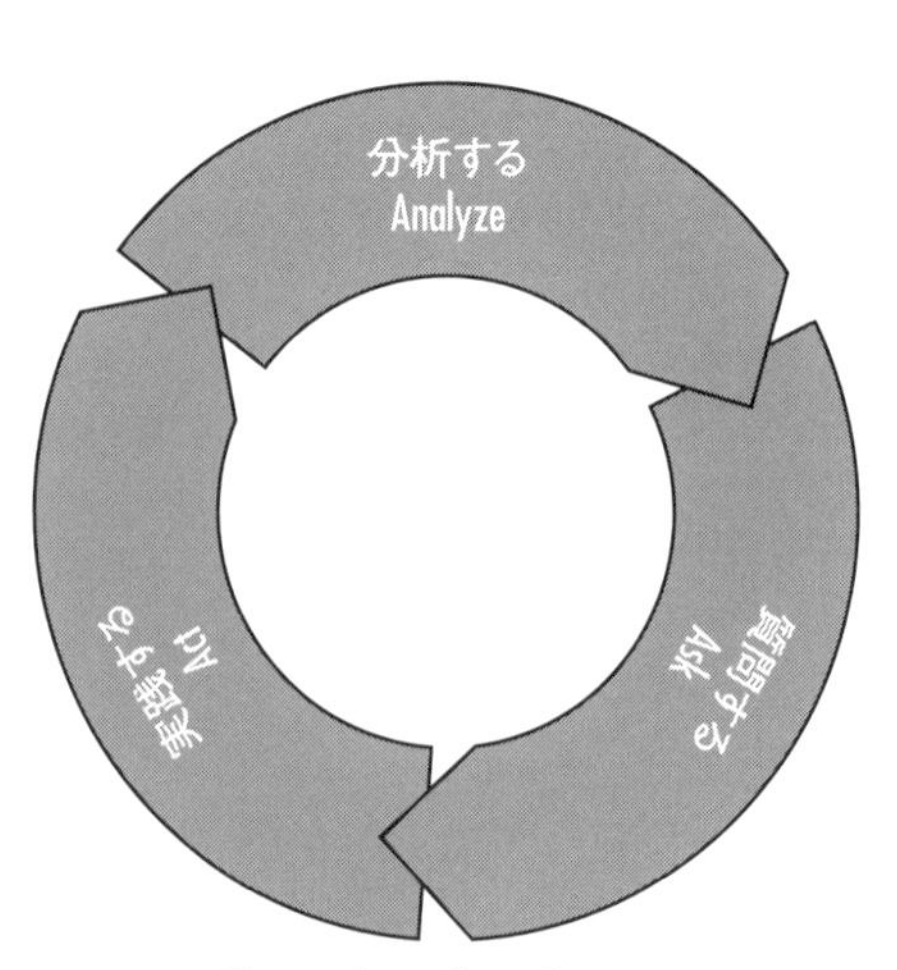

「トリプルA」スプリント

問題点を迅速に特定し、解決策を立て、効果を測定するプロセスモデル

プロダクトそのものの品質が悪ければ、どんなに最適化を図ろうとしても著しい成長は見込めない。泥の塊に砂糖をふりかけたところで、チョコレートケーキに生まれ変わることはないのと同じだ。

一方で、顧客に喜ばれる良いプロダクトであれば、このトリプルAスプリントを毎月取り入れることで、即座に変化が実感できるだろう。

このフレームワークを取り入れることで、1年も経たないうちに、ARRを50万ドルから100万ドルに押し上げた企業を数多く見てきた。それだけの効果があるのだ。

一番のメリットは、導入が難しくないという点だ。まずは自分のビジネスを分析することから始めよう。

1つ目のA：分析する（Analyze）

ライブチャット・ヘルプデスクサービスを提供するGorgias（ゴルギアス）社のCE

O、ロメイン・ラペイレ氏は次のように述べている[30]。

「ビジネスの成長マシンをつくるためには、まずはビジネスのインプットとアウトプットを分析する必要がある」

ビジネスに必要なアウトプット（例：ARR、顧客、ARPU）を生み出すインプットが何か（例：展示会、広告、eメールマーケティング）を理解しない限り、持続可能なビジネスは構築できない。

どのインプットが自分の望むアウトプットを生み出しているか分からない場合、まずはビジネスを分析することから始める必要がある。

どこから分析を始めたらよいか

カレンダーの毎月第一営業日に、先月の結果

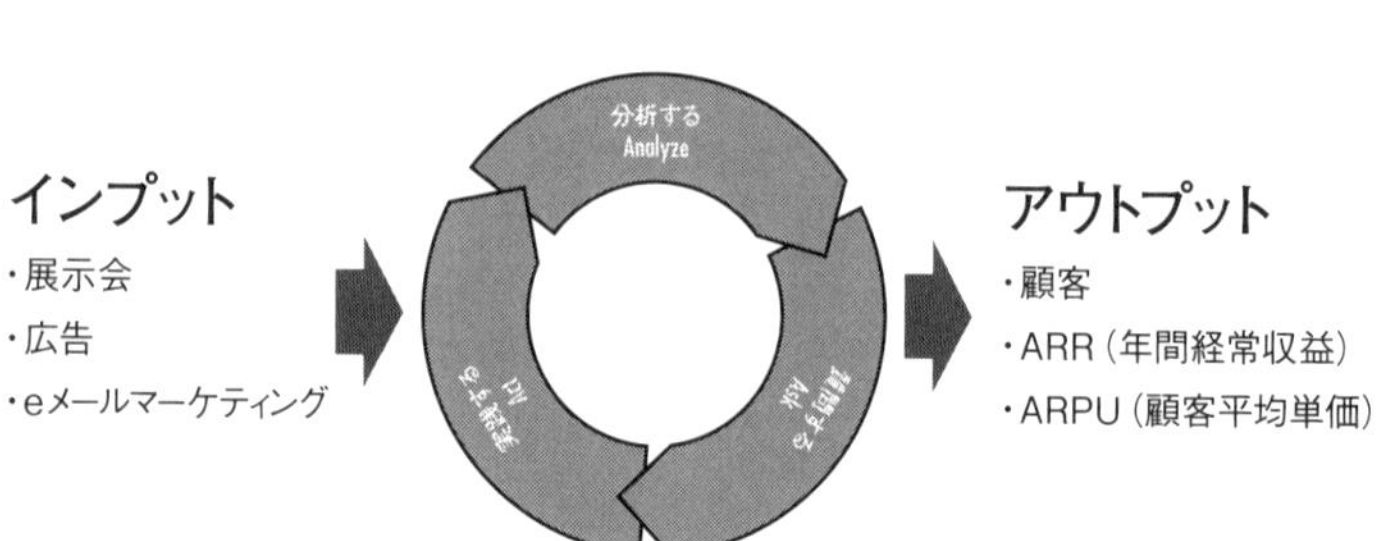

ビジネスの成長マシンをつくるためには、
ビジネスのインプットとアウトプットを分析する必要がある

を分析するためのリマインダーを設定しよう。1時間か2時間ほど予定をブロックし、分析に集中できる時間を確保するのだ。こうすることで、分析するためのリズムが出来上がる。

アウトプットの測定にも取りかかろう。アウトプットは、自分が正しいことをやっているかを示す、信頼できる指針となる。

どのアウトプットをトラッキングするとよい？

では、測定すべきアウトプットとはどのようなものだろうか。

ＳａａＳビジネスの素晴らしいところは、ほぼ何でも分析できることだ。取得できるインサイトの量は膨大にある。だが数えきれないほどのメトリクスが存在することで、メール開封率や直帰率などの数字に翻弄されがちだ。これらのメトリクスは測定可能ではあるが、大したことを教えてはくれない。

その直帰率は解約に繋がっているのだろうか？　それともサインアップ数に影響を及ぼしているだろうか？　確かに高い直帰率はこのような問題に繋がることがあるが、

根本原因はまだ分からない。

そこで、アウトプットを注意深く見てみよう。すると、我々が注力しなければならない領域を素早く特定し、どの領域をトラブルシューティングすればよいかが分かる。

プロダクト主導型ビジネスでは、次のマクロ・アウトプットをトラッキングする必要がある。

- サインアップ数
- 有料会員へのアップグレード者数
- ARPU（顧客平均単価）
- 顧客解約率
- ARR（年間経常収益）
- MRR（月間経常収益）

これらのアウトプットは嘘をつかないし、簡単に測定できる。これらの推移を12カ月間も見れば、どの領域が一番打撃を受けているか即座に分かる。

アウトプットの状況が把握できたら、次のステップ、理想のビジネスに近づくために必要なインプットを特定するための質問をすることができる。

2つ目のA：質問する（Ask）

どんなビジネスにおいても、最適化を図る際に次の3つの質問をする必要がある。

1．目的地はどこだろう？

企業によってはこの答えをノーススターメトリックスとしていたり、具体的な売上目標を掲げていたりする。ビジネスの目標の立て方はこの本の主題ではないので、これらの手法については割愛する。

組織の目標をどう立てたらよいか検討がついていない場合は、ジョン・ドーア氏の『メジャー・ホワット・マターズ　伝説のベンチャー投資家がＧｏｏｇｌｅに教えた成

＊ノーストターメトリックス
ビジネス成長の指針となる企業全体の指標

功手法　ＯＫＲ[31]』をおすすめする。ビジネスにとって重要なメトリクスをどのように優先順位付けし、チーム全体に行き渡らせることができるかについて解説している。

たとえば、我々は１０００万ドルのＡＲＲを持つＳａａＳ企業で、ライブチャットソリューションを提供しているとしよう。そして、我々の数字目標は、向こう12カ月で１５００万ドルのＡＲＲを達成することだとする。野心的な目標を掲げること自体に異論はないが、次のアクションを検討する際に、単に大風呂敷を広げるだけにはならないでほしい。行きたい場所に近づくためには、どのレバーを引いたらよいか把握する必要がある。

2．その目的地に辿り着くためには、どのレバーを引いたらよいだろうか？

私は現在、オートバイのクラスに通っている。初心者なので、頻繁にミスを犯している。スピードを上げるときにギアを下げると、バイクはキーンと甲高い音を発する。加速中にクラッチを切れば、エンジンがうなるのが聞こえて、バイクのスピードが落ちるのを感じる。コーナーで減速しているときに前ブレーキを使えば、ぐらついてバイクとともに倒れる――怪我はなくとも恥というリスクを負う。

どのレバーを引いたらよいかを把握することは、ビジネスを回すときも、オートバイに乗るときも、同様に重要だ。

事実、同じアウトプットを生み出すための方法は1つではない。オートバイを止めるには、前ブレーキ、後ろブレーキ、またはエンジンブレーキ、いずれを使うこともできる。どのブレーキシステムも望むアウトプットが得られるのだ。

ビジネスでも同じことだ。ジェイ・エイブラハム氏が提唱するマルチプライヤー（乗数）視点によると、ビジネスの成長のためには3つのレバーが使える。

1．マルチプライヤー1：解約率
2．マルチプライヤー2：ARPU（顧客平均単価）
3．マルチプライヤー3：顧客数

プロダクト主導型ビジネスの経営陣と話をすると、顧客数を増やすことにはほぼ全員が注力している一方で、ARPUを上げたり解約率を下げたりすることに関しては、話題に上ることがほとんどない。これはかなりの機会損失だ。

トマス・ツング氏によると、「解約率がマイナス5％の健全な成長を遂げているSaaS企業は、解約率が5％の企業に比べ、73％も高い売上を得ている[32]」。

企業の目標が収益を上げることだとしたら、なぜ顧客数に囚われているのだろう？プロジェクトマネジメントツールを提供するTeamwork.com（チームワーク・ドット・コム）社の前CMO、ドリュー・サノキ氏によると、解約率を30％抑え、ARPUを30％上げると、顧客総数を30％増やすだけでLTVを2倍に引き上げられるという。

ビジネスを3つのレバーに細分化することで、どのレバーが一番早くビジネスを成長させるかを特定できる。立ち上げたばかりのビジネスでない限り、解約率を下げることとARPUを上げることが、ほぼ確実に一番効果的だ。解約率とARPUが改善できたら、顧客を増やすことでビジネスを拡大すればよい。

マルチプライヤーの公式は次のとおりだ。

解約率＜ARPU＜顧客数

これがどのような仕組みか理解するためには、下表の空欄に記入し、どのレバーがビジネスに一番影響力があるか見てみよう。

3．どのインプットに賭けるとよいだろうか？

一番影響力があるレバーの特定ができたら、どのインプットがビジネスのギアを上げてくれるか、ブレインストーミングしよう。

トリプルAスプリントのどこに注力したらよいかが把握できると、どのインプットを増やすべきか、もしくは減らすべきかが分かる。正しいインプットを取り入れれば、アウトプットもビジネスも成

メトリック	シナリオA	シナリオB	差異
顧客数	現在の数 （例：1,000人）		0%
ARPU （顧客平均単価）	現在の数 （例：$100/人）		0%
年間解約率	現在の数 （例：20%）		0%
ARR	現在の数 （例：$80,000）		0%

ビジネスを3つのレバーに細分化することで、
どの要素が一番早くビジネスを成長させるかを特定できる。

長する。逆に誤ったインプットを選んでしまうと、ビジネスは停滞または衰退する。

正しいインプットを特定する際には、ＵＣＤフレームワークと、企業が失敗する主な理由を思い出そう。根本原因となり得るのはこの３つだけだ。

1. プロダクトの価値を理解していない
2. プロダクトの価値をうまく伝えられていない
3. プロダクトの価値を素早く届けることができていない

ではここで、自分に問いかけてみよう。

「ビジネスのどこのパフォーマンスが振るわないだろうか？」

検証の候補となり得るインプットをブレインストーミングしてみよう。言うは易し、行うは難しだが、あまり考えすぎないように。

サインアップ数が伸び悩んでいるなら、顧客調査をし、顧客が何に価値を感じているか理解しよう。そして、その価値を顧客に伝えよう。

アップグレード率が振るわないなら、価値の提供に力を注ごう。オンボーディングのプロセスの中で、価値の提供に繋がらないものは極力省こう。

サミュエル・ヒューリック氏もこう忠告している。

「人々がソフトウェアを使うのは、時間にたっぷりと余裕があり、ボタンをクリックするのを純粋に楽しんでいるからではない」

購入体験の改善機会を見いだすには、自分でプロダクトを月に1回購入してみるとよいだろう。改善すべき点がすぐに見つかるはずだ。

プロダクトを試していないのにオンボーディングを設定して、何の問題もなく機能すると考えることはよくある（実際は、なかなかうまくはいかないのだが）。私自身、数えきれないほどユーザーオンボーディングの監査を行い、有料ユーザーへのコンバージョン率に悪影響を及ぼすような恥ずべきバグを見つけてきた。それも、誰でも見つけられるようなバグだ。

プロダクト体験の改善点をリストにまとめ、各アイデアをフィルターにかけよう。どのようにやるかは問題ではない。それよりもプロセスを確立することが大切だ。メールマガジン配信サービスを提供するSendGrid（センドグリッド）社のプロダクトVP、スコット・ウィリアムソン氏もこう唱えている。

「確固たる優先順位付けシステムを持つことが大切だ。そうすれば、まったく異なるプロジェクトの価値を比較し、優先付けの結果を公表し、仮説を耐圧試験にかけられる」

私はインプット・ログ[33]を優先順位付けシステムとして使っている。これは、ビジネスの成長を支援するアイデアすべてを記録し、優先順位を付けるのに役立つ。

私の場合、その後でシーン・エリス氏が開発したＩＣＥ（アイス）メソッドを用いて、各インプットを次の3つの要素で採点している。

次ページの表が具体例だ。

1. 影響度（Impact）

このインプットは、改善したいアウトプットにどれくらい大きな影響を与えるか？

2. 自信度（Confidence）

このインプットがアウトプットを改善するという自信がどれくらいあるか？

3．容易度（Ease）

どれくらい容易に導入できるか？

優先順位付けフレームワークには好きなものを使ってよいが、現在取り入れているものがない場合は、まずはこのICEメソッドを使ってみよう。理解しやすく導入も簡単なはずだ。

ICEメソッドでアイデアをフィルターにかけたら、一番影響度が高いアイディアを1つか2つ、導入する機会を見つけよう。次のステップは、このアイデアを実践することだ。

インプット	アップグレードする人が少ないという問題点があることから、「今すぐアップグレード」ボタンをアプリのヘッダーに置く。これにより、ユーザーがよりアップグレードしやすくなると考える。効果検証は、無料から有料会員へのコンバージョン率が改善するかをもって測定する。
影響度（I）	5
自信度（C）	5
容易度（E）	3
ICEスコア	13

3つ目のA：実践する（Act）

アイデアを思いつくだけなら簡単だ。それを実践できるかにすべてがかかっている。ヘンリー・デイビッド・ソローも言うように、「忙しくしているだけでは十分でない。蟻だっていつも忙しくしている。問題は、何に忙しくしているかだ」。

今月導入するアイディアを1つ2つ選んだら、あとはそれを実践するだけだ。各プロジェクトの容易度によって、ローンチするのに数時間ですむ場合もあれば、数週間かかる場合もある。

もしトリプルAスプリントを実践するのが初めてなら、まずは小さいものから始めよう。クイック・ウィンをいくつか経験しておくことだ。つまり、導入しやすく影響度が普通〜高いものを選んだほうがよいということだ。多くのリソースと時間が必要な大きなものは、後々取りかかろう。まずは小さな一歩からだ。

*クイック・ウィン
短期間で成果が出る成功実績。

ハブスポットはいかにフリーミアムの有効性を検証したか

ハブスポットのマーケティングVP、キーラン・フラナガン氏も、同社をセールス主導型からプロダクト主導型ビジネスに移行する際には同様のアプローチをとった。

ＧＴＭ戦略にフリーミアムを追加するためにとった最初のステップは、我々はどこに向かいたいのかという包括的なビジョンを掲げることでした。次に、そのビジョンに近づくため、また、ビジョンをどのように進化させたらよいかを知らせるために、検証実験を行うことを目指しました。

我々は、大企業から中小企業まで、すべての企業の成長を支援することを目的とした、各ビジネスに最適なツールを提供することをビジョンとして掲げました。顧客には、我々のマーケティング、セールス、カスタマーサクセス製品を無償で使いはじめてもらい、ニーズが増えたら、アップグレードしてもらうことを考えました。ＰＬＧへの移行（それでも30～40％の年間成長率を維持していました！）を率いるのは並大抵なことではありませんでしたが、それだけの価値がありました。

我々のグロース・チームでうまくいったプロセスを大まかに紹介すると、次のとおりです。

- リーダー層、プロダクトチームや開発チームなど他チームからも信頼が得られるよう、経営陣から事前に賛同を得ること
- 素早く導入できる検証実験の優先度を上げることで、成果を示すこと
- 検証中、効果がなかったり結果が出ないものが目につきはじめたら、より複雑な成長機会に挑戦する（大きくスイングする）
- 最終的には、価格設定（プライシング）を検証したいとＣＥＯに伝える（さらに大きくスイングする）

既にあなたのビジネスが成長段階に入っているなら、このクイック・ウィンを得てから上に登っていくというプロセスは経験があることだろう。

分析し、質問し、実践しよう

プロセスはテクニックに勝る。トリプルAスプリントのフレームワークに従えば、ビジネスを継続的に成長させることができる。過去5年間、CACは50％以上上昇しているにもかかわらず購買意思額が30％以上下がっているこのSaaS市場において、我々は最適化という文化を取り入れる必要がある。それができれば、正しいレバーを引き、ビジネスのギアを上げることができる。

PartⅢの残りの章では、次の3つの主要レバーをさらに掘り下げ、どのインプットを引くとどのレバーの針を動かすことができるか解説していく。

1. 顧客数を増やす
2. 顧客平均単価（ARPU）を増やす
3. 解約率を減らす

どのレバーに苦戦しているかによって、緊急性が高い課題の解決策を解説している章へ進んでいただくことをおすすめする。

次章では、ユーザーを優良顧客に変えるための私がお気に入りのフレームワークを紹介したい。ボウリングはお好きだろうか？

第13章

ボウリングレーン・フレームワーク

この章で紹介する**ボウリングレーン・フレームワーク**は強力なオンボーディング戦略だ。私はこのフレームワークを使って、多くの企業がマーケティング費をかけずとも業績を上げられるよう支援してきた。どんな業種のサービスであっても、このシステムを取り入れることでオンボーディングを成功させ、無料ユーザーから有料ユーザーへのコンバージョン率を上げることができる。

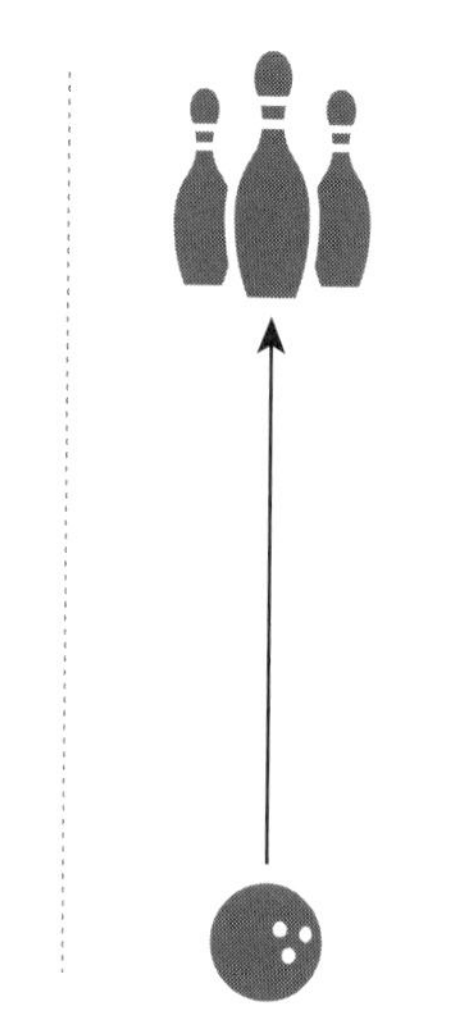

ボウリングをやったことがない方のために、ゲームの基本を説明しよう。

スタート地点から60フィート（約18メートル）先に10本のボウリングピンが三角状に立っていて、その間には幅41・5インチ（約1メートル）のオイルがけされた板張りのレーンがある。そして、直径9インチほど（約23センチメートル）の大きさで、最大16ポンド（約7キログラム）の重さのボールをレーンに転がし、その先にあるピンをできるだけ数多く倒すことを競う。

厄介なことに、レーンの両端には溝（ガター）がある。そこにボールが落ちてしまうと、ピンを1本も倒すことができず、ポイントも得られない。ゲームに勝つためには、毎回できるだけ多い本数のピンを倒す必要がある。

ボウリング初心者はよくボールをガターに落としてしまう。そのたびにがっかりするだろう。

これを解決するために、フィル・キンザー氏は「バンパー付きボウリング」という、ボールがガターに落ちないようにするコンセプトを発案した。

自社サービスでユーザー層の拡大を図る際も、このコンセプトが使える。バンパーを設置することで、プロダクトが約束した成果をユーザーが確実に得られるよう導くのだ。

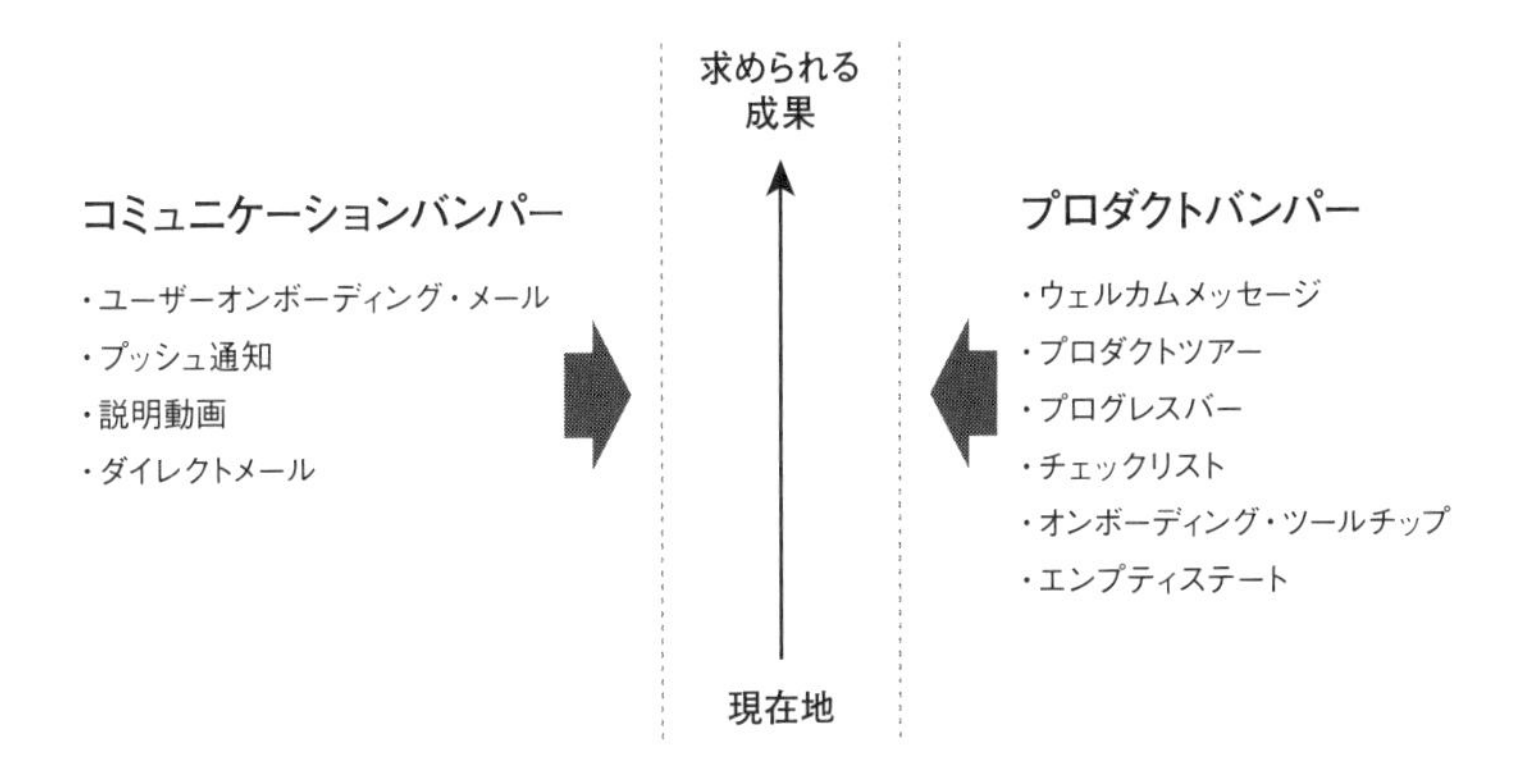

自社サービスでユーザー層の拡大を図る際も、
ボウリングレーン同様、2つのバンパーを設置することで、
プロダクトが約束した成果をユーザーが確実に得られるよう導くことができる

ユーザーが脇道にそれてしまったりサイトから離れてしまったりしたら、正しい道へと導くのがバンパーの役割だ。そうすることで、ユーザーをプロダクトの真の価値へと導ける。また、離反ユーザーを未然に防ぎ、より多くの再訪ユーザーを獲得することができる。

ボウリングレーン・フレームワークをマスターするために実践すべきことは、次の3つだ。

1. ストレートラインを開発する
2. プロダクトバンパーを作成する
3. コミュニケーションバンパーを構築する

このシステムの良いところは、押し売り感がないところだ。初心者でも難なくストライクが出せるよう設計されている。これは重要だ。

グロウ社のCPO、リチャード・キップ氏も次のように述べている。

「ユーザーが期待する価値を得られるまでの間に存在するペインや摩擦を取り除くたびに、自社サービスのTAM（最大市場規模）は拡大する」

ペインや摩擦を取り除く最も良い方法の1つは、直線的（ストレートライン）なオンボーディングプロセスを構築することだ。

ストレートラインが必要な理由

ストレートラインとは、A地点からB地点までの最短距離を指す。セールス主導型の組織では、ユーザーを**セールスサイクル上のA地点からB地点に導く**のに対し、プロダクト主導型では人々を日常の行動の上で誘導することが目標だ。これは、ユーザーがプロダクトを事前に試し、プロダクト価値を体験できるようにすれば実現できる。

ところが、ほとんどのユーザーはプロダクト価値が体験できるB地点まで辿り着くことができない。なぜか？　それは、**サービスを提供する側が、ユーザーがどんな成果を求めて登録したのか理解できていない**ことが多いからだ。

グラフィック編集ツールを提供しているキャンバを例に説明しよう。このツールがあれば、ポスター、カード、プレゼン資料などが作成できる。

キャンバは、ユースケースが多く集まっているポスターに的を絞り、その作り方を詳しく説明したウェブページをつくった。このページにあるＣＴＡボタンをクリックすると、すぐにポスターをつくりはじめることができる。

キャンバは、ユーザーが解決しようとしている課題を理解し（この例ではポスター作成）、その課題を解決するためのオンボーディング体験をカスタマイズすることで、プロダクトのタイム・トゥ・バリュー（価値を得るまでの時間）を半分に削減することができた。

このように、ユーザーのプロダクト活用の背景にある意図を理解することで、ユーザーが素早く価値を体験するよう誘導できるようになる。さらに、これを継続的にどこよりも高品質で提供し続けられれば、やがて有料プランへのコンバージョン率も上がる。

ユーザーを約束の地へと導き、価値を提供することができれば、ユーザーが有料プランにアップグレードするであろうことは理に適っている。カスタマーサクセスのコンサルティング企業、シックスティーン・ベンチャーズ社のリンカーン・マーフィー氏も次のように述べている。

「有料プランにアップグレードしてほしいなら、まずはユーザーが欲している価値を提供することに集中しよう。そうすれば企業が望む結果が得られる」

これは、もっともな言葉だが、では、具体的にどうすればストレートラインを構築することができるだろうか？　ユーザーが求めている成果をごくわずかな時間で提供するためには、次の手順に沿って実現するのがよいだろう。

1. 道のりを描く
2. 各ステップにラベルをつける
3. ストレートラインを構築する

最大限の効果を得るためには、このステップを1つずつクリアしていこう。

さあ、ペンと紙、またはノートパソコンを開いて、早速取りかかろう。

道のりを描く

私の経験上、世に出ているオンボーディングステップのうち3割以上は必要のないものだ。そう、あなたのプロダクトもこの中に含まれている。

サインアップの際、必ずしも必要ではない項目への入力が必須とされていたり、そもそも本当はなくてもよいステップが含まれていたりすることはないだろうか。

ストレートラインを構築する前に、まずは自社サービスに自分でサインアップし、提供価値を得るまでにいくつのステップを踏む必要があるか、改めて確認しよう。各ステップのスクリーンショットを撮っておくこと。ＯＫボタンをクリックするだけといった小さなステップも、逃さず記録しよう。

もし自社サービスでこれができない状況なら、かわりに次の例を参考にしてほしい。

あなたはアマゾン・ストアやイーベイ・ストアで複数のアカウントを持つEコマースビジネスを運営しているとしよう。毎日各アカウントに手動でログインし、それぞれのアカウントに届いているユーザーからのメッセージに返信するのに3時間費やしている。アカウントの数だけ、都度ログインとログアウトをし直す必要がある。

この課題を解決する方法はないかと調べたところ、コネクトヒーロー（これは架空の企業だ）なら、アマゾンやイーベイに届いたメッセージを、ゼンデスクなどのヘルプデスクツールに転送できるプロダクトを提供していることを知る。

コネクトヒーローのフリートライアルに登録すると、アマゾンアカウントとイーベイアカウントを1つのヘルプデスクソリューションに統合するよう求められる。設定が完了すると、統合したヘルプデスクソリューション上にアマゾンやイーベイへのメッセージがポップアップで届くようになる――やった！　この時点で、このプロダクトのフリートライアル期間が終了したらアップグレードすることを決める。プロダクトが約束した価値を提供してくれたことで、課題が解決され、気分も上々だ。

コネクトヒーローはすべてのユーザーが難なくこの地点まで辿り着いてくれることを願っているが、実際はそう簡単ではない。ヘルプデスクツールをアマゾンやイーベイと統合するためには、50以上のステップを踏む必要がある。

設定を簡素化するためには、これらのステップを整理する必要がある。それを実現する最も簡単な方法が、**ストレートラインの構築**だ。

各ステップにラベルをつける

まず手始めに、オンボーディングの各ステップのスクリーンショットを撮ろう。ホームページを訪れたところから提供価値を得るまでの一連を記録すること。全ステップをマッピングしたら、それぞれにラベルをつける。オンボーディング体験の各ステップを、緑・黄・赤の3色でラベル分けしよう。

- 緑……必須ステップ
  例：ウェブサイト上にJavaScriptファイルをアップロードする。アカウント作成のためにメールアドレスの入力を求める。
- 黄……後回し可能な拡張機能
  例：メールアドレスにカスタム署名を設定する。動画のサムネイルにABテストを実施する。
- 赤……除外可能なステップ

例：プロフィール画像の色を変える。アカウントにニックネームをつける。

赤色をつけたステップはオンボーディングから除外し、黄色をつけたステップは紹介を後回しにすることで、ユーザーをより早く約束の地に導くハイウェイを構築することができる。

ストレートラインを構築する

私は学生のころ、カナダ・ハミルトン市のダウンタウンにある学校へバスで通っていた。辿り着くのに1時間から2時間はかかったものだ。なぜこんなに到着時間に幅があったかというと、目的地までの間に信号が多く、バスが頻繁に発車、停車、アイドリングを繰り返していたからだ。

あるときハミルトン市は、アイドリング車の数を減らし交通渋滞を緩和しようと、一番交通量が多く、私が乗っているバスも通っていたメインストリートの信号に、シーケンス制御を導入した。一度青信号にあたると、メインストリートを曲がるまでずっと青信号で進むことができるようになったのだ。

この1つのイノベーションで、私は以前より25％も早く学校に辿り着くことができるようになった。

ここでアマゾンとイーベイのアカウント統合の例に戻ろう。オンボーディングの最初の3ステップは以下だとする。

1. アマゾンアカウントを統合する
2. カスタム署名を設定する
3. ニックネームを共有する

アマゾンアカウントの統合は必須なので、緑色のラベルをつける。カスタム署名の設定は、プラスアルファのステップだ。アマゾンやイーベイに届いているメッセージを確認するのに、カスタム署名は必須ではない。プロダクト価値を一通り体験したあとなら、この設定の意義が分かるだろう。だから現段階ではこのステップには黄色ラベルをつけよう。

最後のニックネームを共有することは、プロダクト価値を得ることと関係がない。このステップには赤色ラベルをつけ、オンボーディングのステップから除外する。

自社プロダクトにおいても、赤色と黄色のステップはできる限り除外しよう。そうすることで、ユーザーが求める成果に辿り着くための最短の道のりが整う。

サインアップから成果を達成するまでの各ステップの仕分けが済んだら、チームで集まり、省けそうなステップについてディスカッションしよう。活発な議論を求めるなら、プロダクト、開発、マーケティング、セールスのそれぞれのチームからメンバーを招集するとよい。

私がストレートラインシステムを気に入っているのは、嘘がないからだ。ユーザーに価値を提供するために本当に必要なステップは何かを学ぶことができる。

2種類のバンパー

これで完璧だというオンボーディング体験を作り上げたとしても、ガターに落ちたまま二度と戻ってこないユーザーは必ずいるものだ。なかには脇道にそれてしまうユーザーもいるだろう。そのようなユーザーのために、ストレートラインに引き戻すための迂回ルートを用意する必要がある。そのためにはバンパーを設定しよう。

ボウリング同様、ボールがガターに落ちないためには2本のバンパーが必要だ。SaaSでは、プロダクトバンパーとコミュニケーションバンパーがそれにあたる。

・プロダクトバンパー

プロダクト主導型モデルに必要不可欠なもので、ユーザーが自らプロダクトを導入できるようサポートする

・コミュニケーションバンパー

ユーザーを啓蒙する役割を担い、アプリへの再訪や有料版へのアップグレードを働きかける

ユーザーが望む成果を確実に提供するためには、両方のバンパーが必要だ。

プロダクトバンパーの例

- ウェルカムメッセージ
- プロダクトツアー
- プログレスバー
- チェックリスト
- オンボーディング・ツールチップ
- エンプティステート

コミュニケーションバンパーの例

- ユーザーオンボーディング・メール
- プッシュ通知
- 説明動画
- ダイレクトメール

既に馴染みがあるものも多いかもしれないが、それぞれ説明していこう。ユーザー数を増やすために効果的な使い方を知ることで、今後より自信を持って導入できるようになる。この中でまだ試したことがなかったり、アップデートが必要なものがあることに気づいたりしたら、それを書き留め、次回のトリプルAスプリントのインプットリストに追加しよう。

プロダクトバンパー

プロダクトバンパーは、ユーザー自らプロダクトから有効な価値が得られるよう導くものだ。

2本のバンパーのどちらがより重要かと聞かれたら、恐らくプロダクトバンパーのほうだと答えるだろう。役に立つプロダクトであれば、こちらから働きかけなくともユーザーは再び戻ってくるはずだからだ。

しかしだからといって、コミュニケーションバンパーが役に立たないというわけではない。役割が異なるというだけだ。サインアップをしたあとまったくプロダクトに触れていないユーザーに対しては、たとえ世界一のプロダクトバンパーを準備していても、意味がない。

プロダクトバンパーは重要だ。この機に自社のプロダクトにおいても、ユーザーを約束の地に導くことができそうなものを1つか2つ見いだしてほしい。プログレスバーやチェックリストなどを取り入れると効果的なエリアがあるかもしれない。

この先は、以下の主なプロダクトバンパーについて解説していく。

1. ウェルカムメッセージ
2. プロダクトツアー
3. プログレスバー
4. チェックリスト
5. オンボーディング・ツールチップ
6. エンプティステート

1. ウェルカムメッセージ

友人の家に遊びにいくとしたら、相手のどのような反応を期待するだろうか。快く迎え入れてくれることを期待するだろうか。それとも、無言で家の中に入るよう促され、冷蔵庫の中にあるものを好きに食べてよいと言われることを期待するだろうか。

後者のシナリオには違和感を持つだろう。友人ならまずは歓迎の挨拶をしてくれるはずだ。ところがSaaSのユーザーオンボーディングにおいては、新規ユーザーをもてなしそびれている企業があまりに多い。「どうぞご自由にキッチンを使ってください」と言わんばかりだ。ユーザーにとって、

ConnectHero

Welcome, Jennifer!

My name is Matt Brown, founder of ConnectHero, and I'm so glad to see you here! Since we founded the company in 2010, we've been able to help 100's of incredible companies like WeatherTech, Dell, and Nike save countless hours responding to customer messages. Now, I can't wait to help your ecommerce businesses!

Matt Brown
CEO & Founder of ConnectHero

Next →

これではあまりに不親切だ。人には、歓迎され安心したいという内的欲求がある。

コネクトヒーローの例に戻ろう。サインアップをするとCEOから右のキャプチャーのような、気さくなウェルカムメッセージが届く。

ここでサービスを立ち上げた経緯を話し、企業の存在価値を再提示している。プロダクト価値を改めて説明し、信頼関係を構築することで、ユーザーがプロダクトを使うモチベーションを高めることができる。

ポイント

1. ウェルカムメッセージは、新規ユーザーをもてなし安心させる絶好の機会だ。
2. 歓迎するだけでなく、価値提案（バリュープロポジション）を改めて提示することで、ユーザーのモチベーションを高める機会としても活用しよう。
3. この先体験できることを予め提示することで、ユーザーに正しい期待値を設定しよう。

2．プロダクトツアー

ユーザーを快く迎え入れたら、次は、アカウントをできるだけ早くセットアップできるよう支援しよう。

プロダクトツアーは究極のプロダクトバンパーだ。ユーザーの気を散らすものを取り除き、重要な選択肢だけに絞り込んで提示することができる。プロダクトツアーの内容は、ストレートラインの中でも特に重要な緑色ラベルに絞り、3～5ステップ程度に抑えることをおすすめする。

下図のコネクトヒーローの例では、統合したいヘルプデスクソリューションを選択するようプロダクトツアーで促している。

ConnectHero

Choose Your Help Desk

Don't see your help desk or have one yet? Learn more.

このアプローチでは、ユーザーの選択に応じて異なるストレートライン・オンボーディングトラックがトリガーされるよう設計されており、各々のユーザーが求める成果へと導く（この例では、ゼンデスクをクリックすると、アマゾンやイーベイに届いているメッセージをゼンデスクに転送するための手順が提示される）。

自社が複数のプロダクトを抱えている場合、オンボーディング冒頭でプロダクトツアーを取り入れると、ユーザーを一番関心があるプロダクトエリアに早く誘導することができ、ゲーム・チェンジャーになるだろう。

シンプルなB2Cサービスの場合、プロダクトツアーを導入せずに済むケースもある。だが、異なるタスクを達成させることを目的とした様々な機能を持ち合わせている複雑なプロダクトの場合、プロダクトツアーの導入は必須だ。

プロダクトツアーでは、選択肢を最低限に絞り込むため、背景素材を隠す「フォーカスモード」機能を使うことをおすすめする。これは、ヒックの法則や選択のパラドックスへの対処法として効果絶大だ。

＊ヒックの法則
選択肢が増えるほど、決断を下すまでの時間が長くなるという法則。

＊選択のパラドックス
選択肢が増えるほど、困惑しやすくなり、選択後に後悔しやすくなること。選択肢が増えるほど、なにも選択しない人が増える。

ユーザー自ら判断しなければならない選択肢を減らすと、ユーザーが正しい選択をする確率が高くなる。プロダクトツアーの構成を見直す際は、すべて刷新する必要はない。緑色ラベルの必須ステップをいくつかストレートラインに取り入れるだけで、ユーザーにより早く価値を届けられるようになる。

ポイント

1. プロダクトツアーの冒頭で、ユーザーがプロダクトで何を達成しようとしているのかをまず確認しよう。
2. プロダクトツアーでは、ユーザーオンボーディングに重要な設定ステップをカバーしよう。
3. よくできたプロダクトツアーの多くは、「フォーカスモード」機能を用いている。これによって、プロダクトツアーを完了するまでの間、ナビゲーションバーなど重要ではない素材がユーザーの目に入らないようにすることができる。
4. 一般的なプロダクトツアーは、3～5ステップ程度に抑えられている。

3. プログレスバー

プロダクトツアーは、ユーザーが有効な成果を得られるよう導く、最も効果的な手法の1つだ。このような強力なバンパーは、ユーザージャーニーの冒頭に用いるのがベストである場合が多い。

一方、ストレートラインのある程度先に進んだ段階では、プログレスバーのように、もう少し緩やかなバンパーを使うと効果的だ。

プログレスバーは、現在地が出発地点からどれくらいに位置しているか、そして目的地まであとどれくらい残っているかを示したものだ。マラソンを走っていると、1キロメートルごとのマーカーが励みになるものだ。どれくらい走ったか、そしてあとどれくらい走る必要があるかを頭に入れながら走ることができる。

走りはじめのころは、42キロメートル中1キロといった進捗を見ると逆に億劫になるかもしれない。だが30キロ地点に近づくころにはモチベーションが上がり、ゴールに辿り着くまで自分を奮い立たせることができる。

ユーザーオンボーディングにおいても同様だ。人は自らの進歩に夢中になるものだ。達成できると思ったら、達成するまで頑張れる。1つ注意点として、現実的なゴールを提示すること。サインアップ画面上に「99ステップ中0」と表示されたプログレスバーを目にしたら、途端に志気をくじかれるユーザーが続出することは容易に想像できるだろう。

プログレスバーには様々な形やサイズがある。フォーミシモによると、一般的なプログレスバーは左の図のようなものだ。[34]

コネクトヒーローにもプログレスバーを導入するとしたら、シンプルにプロダクトツアー内に取り入れるとよいだろう。

ここで、あとどれくらいのステップが残っているか提示し、ユーザーの期待値を設定する。完了まで大して時間がかからないことや、あと数ステップで済むことを伝え、ユーザーが途中で離脱することを防ぐのだ。

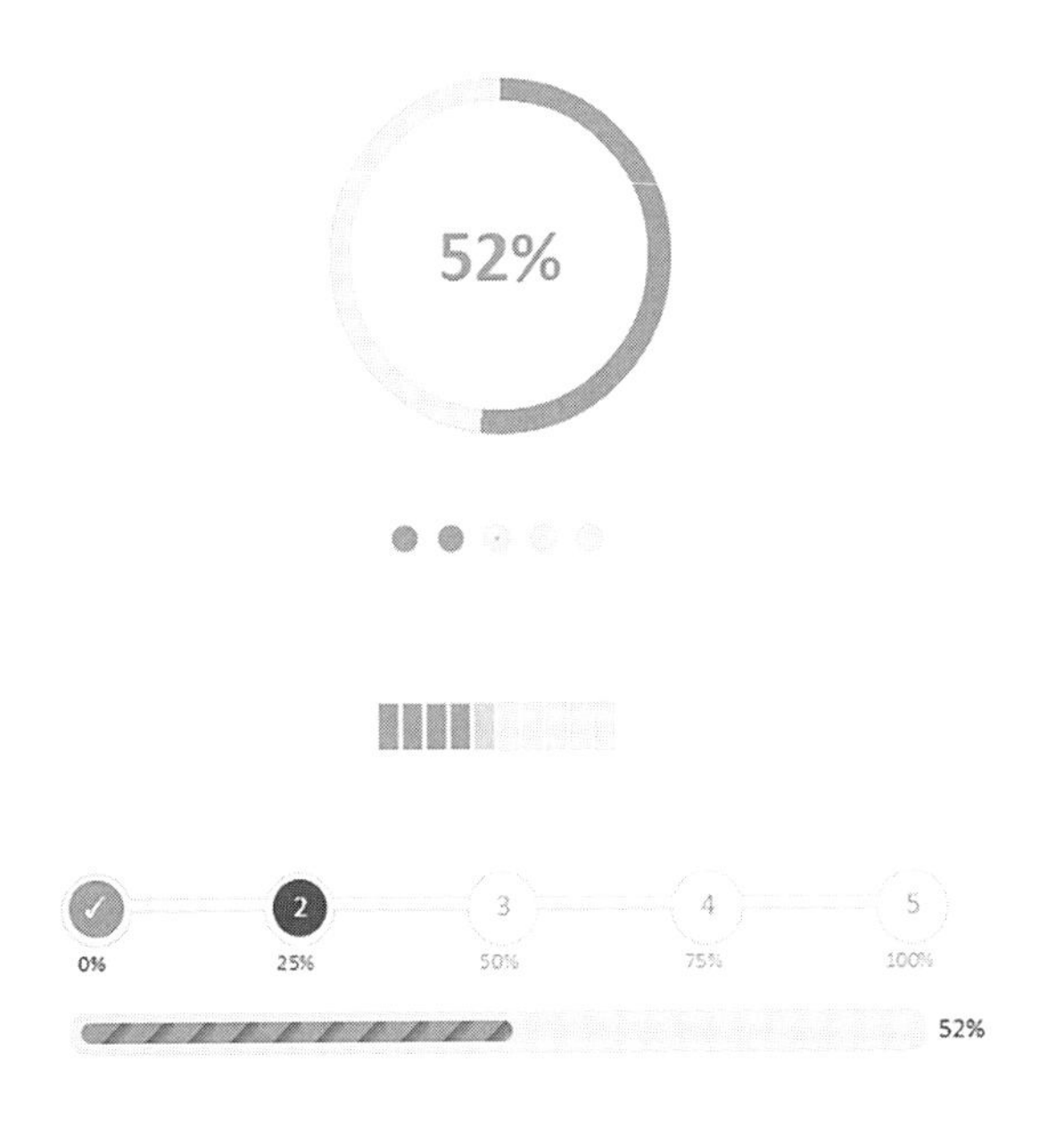

ConnectHero

Choose Your Help Desk

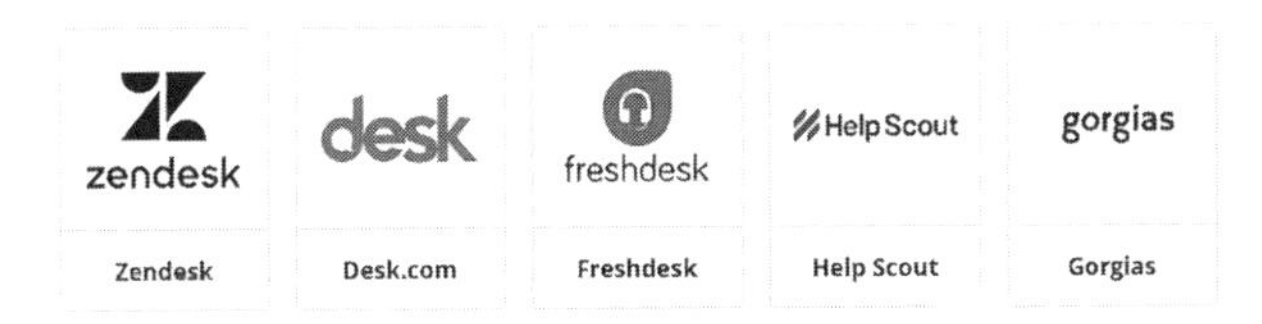

Don't see your help desk or have one yet? Learn more.

52%

ポイント

・効果的なプログレスバーは、最初から一部完了した状態にしてある。まったくゼロから始めるのではなく、既に途中まで済んでいると感じさせることで、早く最後まで完了させたいという欲求を高められる。

4. チェックリスト

セットアップが完了し、プログレスバーも最後まで達したら、次は、より具体的な説明が必要になるケースが多い。その際はオンボーディング・チェックリストが役に立つ。

チェックリストは、大きなタスクを小さくブレイクダウンしたものだ。コネクトヒーローの例では、アカウントのセットアップ場面で活用できる。

ただ、チェックリストそのものだけでは大して役に立たない。オンボーディング・チェックリストの効果を十分に発揮するためには、ユーザーがチェックリストを目にしたとき、既に途中まで完了しているように見せよう。ちょっとしたことだが、これで「エンダウド・プログレス効果[35]」を発揮する。人は、完了までの道のりが残りわずかだと感じると、そのタスクを完遂しやすくなるのだ。

サミュエル・ヒューリック氏も次のように述べている。

> ある洗車場で、「X個買ったら1個無料」の類のロイヤリティパンチカードを使った洗車キャンペーンの有名な実験がある。ユーザーの半数には最初から穴が2つ開いているパンチカードを10枚渡し、残り半数には穴がまったく開いていないパンチカードを8枚渡して、後日、各グループの進捗を確認した。結果、いずれのグループも特典獲得に必

ConnectHero

Let's Supercharge Zendesk

By installing ConnectHero in Zendesk, you're one step closer to answering all of your marketplace messages in one place.

zendesk

ConnectHero

Install ConnectHero

amazon

Select Marketplace
Select Amazon
Select country
Connect Amazon
Test Connection
Set up Email
Done

要なパンチ数は同じであったにもかかわらず、前者のグループのほうが後者のグループの倍近くの特典を得ていた。10個中2個の穴が開いていたグループは達成まで既に20％進んでいると捉え、穴が開いていないグループは0％から始めなければならないと捉えたからだ。

ユーザーにアカウントをセットアップさせる際、手順の大まかな流れを提示することに加え、チェックリストも提示しよう。そうすることで、ユーザーはあとどれくらいのステップを踏めばよいか把握でき、完了させるモチベーションを上げることができる。最大限の効果を得るためには、3〜5つのチェックリストアイテムに留めることをおすすめする。

タスク自動化ツールを提供するザピアーによると、オンボーディング・チェックリストは、人は達成済みタスクよりも未完タスクについて考える傾向があるというツァイガルニク効果[36]を生むという。[37]仕掛りのタスクがあると気になってしかたがないものだ。専門家はこれを「タスク・テンション」と呼ぶ。このテンションを和らげる方法はただ1つ、そのタスクを完了させることだ。

映画やテレビで絶体絶命のシーンが効果的なのも、Ｔｏ－Ｄｏリストのアイテムに完了のチェックを入れることが快感なのも、そしてフェイスブックに59件の未読メッセージがあるとげんなりするのも、この「タスク・テンション」のせいだ。

ポイント

1. チェックリストがあると、主要タスクを完了させるユーザーのモチベーションを上げることができる。
2. チェックリストを用いることで、複雑な手順——たとえば毎月のソーシャルメディアコンテンツの配信スケジュールを設定する方法を、シンプルで達成可能なタスクに置き変えることができる。
3. オンボーディング・チェックリストは、エンダウド・プログレス効果とツァイガルニク効果を利用している。

5. オンボーディング・ツールチップ

オンボーディングは、プロダクトを使う際に特定のアクションをユーザーに完了してもらう必要がある場合、ユーザー自ら行動に移してもらうことを促すのに効果的だ。だが、どのようにしたらよいかユーザーに見せて説明する必要があるケースもある。そこで、オンボーディング・ツールチップの登場だ。

オンボーディング・ツールチップは、ユーザーにプロダクトの使い方を習得してもらうのに役立つ。また、カスタマーサポートチームの負荷を減らし、ユーザビリティを上げることにも一役買う。以下に主なツールチップやホットスポットの導入例を紹介しよう。

1. 初回ユーザーに、プロダクトの使い方

を見せる

2. 新規ユーザーに、便利な機能を紹介する（コーチングするように）
3. ベテラン・ユーザーに、まだ使ったことがないであろう機能を見せる（これはリテンションを上げるのに効果的だ）

コネクトヒーローの例では、アカウントのセットアップ手順をより詳しく説明する際に、ツールチップを取り入れるとよいだろう。

ツールチップは、プロダクトの重要なエリアを紹介する際にも活用できる。オンボーディング・ツールチップの良いところは、Appcues（アップキュー）、Gainsight PX（ゲインサイトPX）、WalkMe（ウォークミー）、Pendo（ペンド）のようなツールを使えば、比較的に簡単に導入できることだ。

ところが、多くの企業が間違った方法でオンボーディング・ツールチップを取り入れている。

次のような経験はないだろうか――はじめてサービスにログインした際、ツールチップのポップアップが表示され、ある機能をクリックするよう求められる。クリックすると、別のツールチップが表示され、別の機能をクリックするよう求められる。それをクリックすると、さらに別のツールチップが出てきて、さらに別の機能を紹介される。プロダクトの全機能を見て回るまで、これが延々と続く。

こんなツールチップは拷問のようなものだ。どのアクションも、ユーザーが成果を得ることと直接関係がない。サミュエル・ヒューリック氏の言葉を思い出そう。「人々がソフトウェアを使うのは、時間にたっぷりと余裕があり、ボタンをクリックするのを純粋に楽しんでいるからではない」

ポイント

1．オンボーディング・ツールチップは、ユーザーが有意義な価値を得るために必要な手順を案内するために使おう。
2．人々がソフトウェアを使うのは、暇だからでも、ボタンをクリックして回るのが楽しいからでもない。

6. エンプティステート

オンボーディング・ツールチップは、プロダクトで何ができるかを見せるにはとても良い方法だ。だが、ユーザーがはじめてプロダクトのダッシュボードページを訪れた際には、何を表示させるとよいだろう?

ダミーデータだろうか? いや、それを見て喜ぶユーザーはいないだろう。有意義な価値を提供することにも繋がっていない。ダミーデータが見たかったのであれば、デモをリクエストしたはずだ。

ダミーデータのかわりに、エンプティステートを表示しよう。これによって、セットアップに必要な初期のステップを、プロダクトツアーほど詳細な説明はせずに案内することができる。

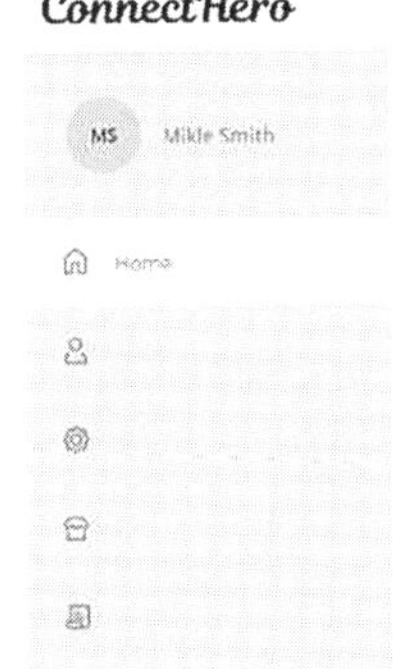

初回ログイン時のソフトウェア画面は、退屈なものである場合が多い。まだユーザー固有のデータが揃っておらず、生のアプリケーションがそこにあるだけだ。この段階で何を表示させるとよいだろう?

エンプティステートなら、セットアップを完了し有意義な価値が得られるようになるまで、あと何をする必要があるのか示すことができる。

コネクトヒーローでは、アカウントのセットアップを完了させるために必要な残りのステップを表示させるとよい。

エンプティステートのメリットは、**何を済ませる必要があるのか、ユーザーに即座に見せることができる**点だ。

Gメールでは、アカウント設定とパーソナライズする方法を説明するのに、エンプティステートを取り入れている。

マーケティングソリューションのストーリー・シェフは、最初のストーリー作りを促すのにエンプティステートを取り入れている。

ソーシャルメディアツールのバッファーのエンプティステートでは、ソーシャルメ

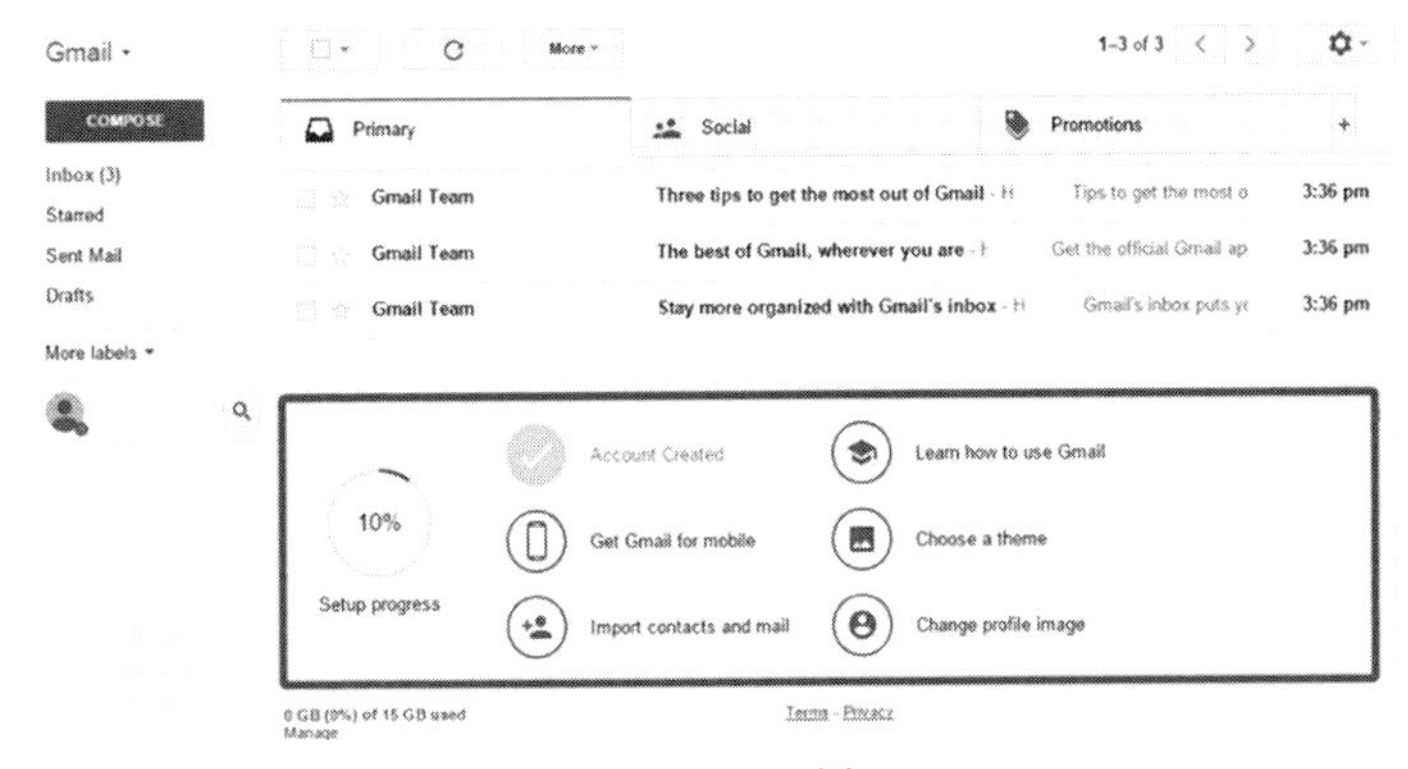

Ｇメールの例

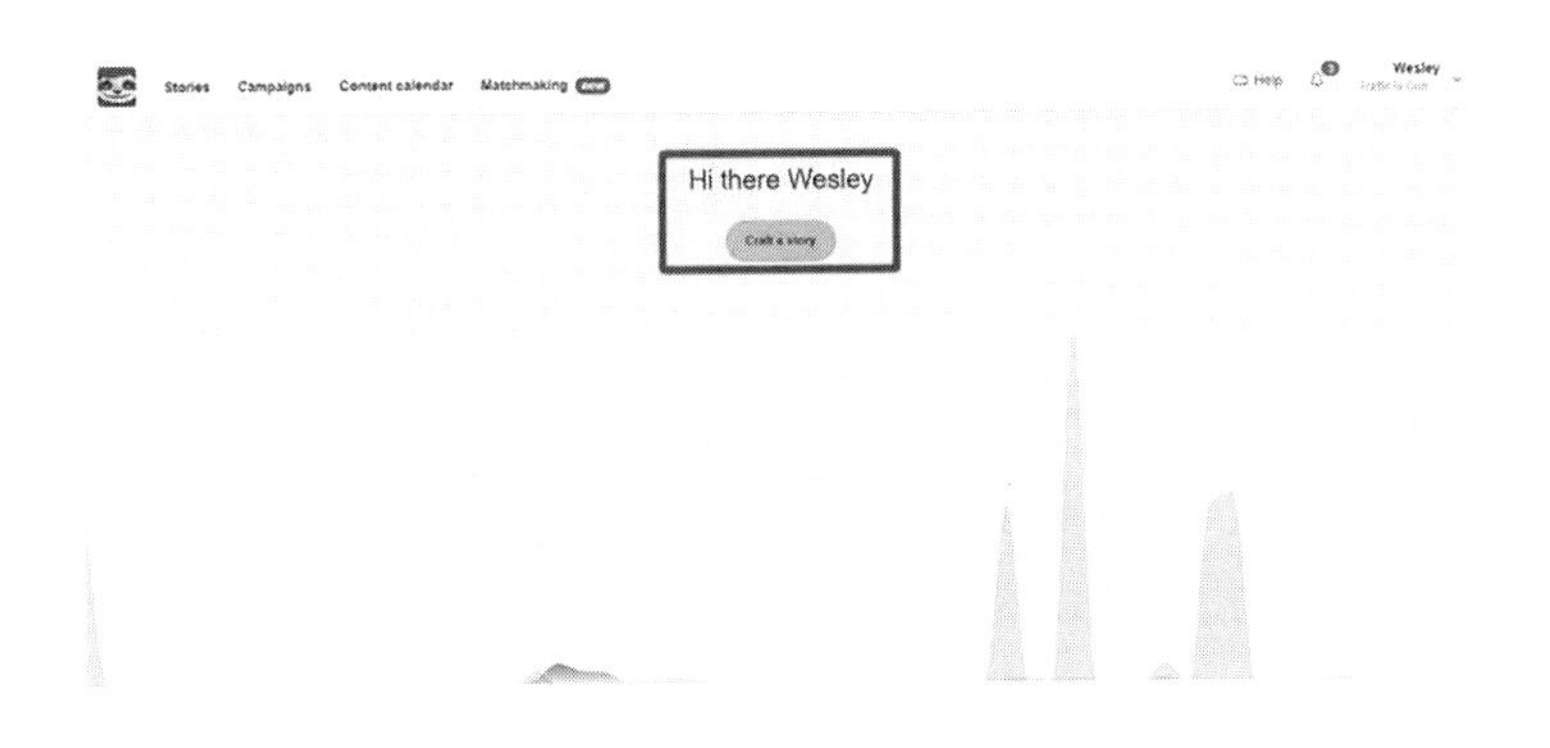

ストーリー・シェフの例

ディアへのアカウント接続を促している。このステップを完了させないとバッファーを使うことができないので、ここでソーシャルメディアへの接続を求めることは理に適っている。

エンプティステートの内容を検討する際には、次の質問に答えよう。

・どのステップを完了したら、ユーザーはクイック・ウィンが得られるか？
・ストレートラインの中で最も重要なステップは何か？
・多くのユーザーにこのステップを完了してもらうには、どうしたらよいだろうか？

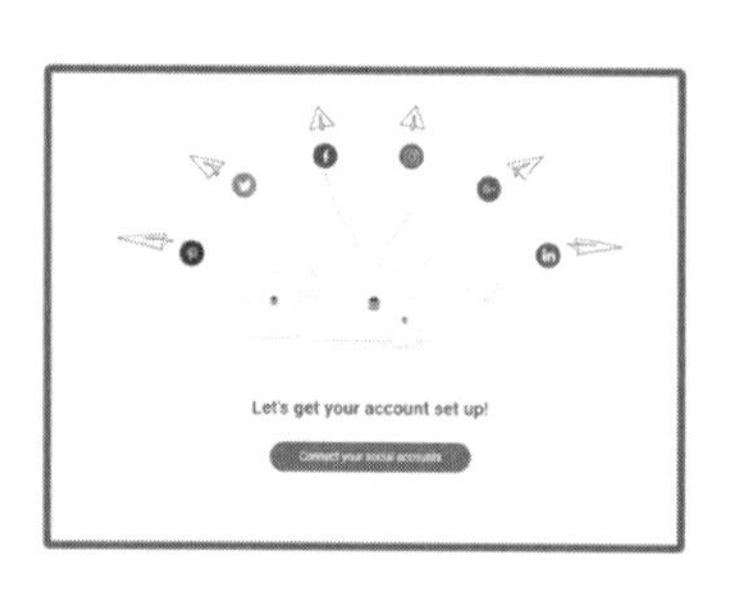

バッファーの例

ポイント

1. エンプティステートは、プロダクト・ダッシュボードにはじめて訪れたユーザーの役に立つ。
2. エンプティステートでは、ユーザーがプロダクトから有意義な価値を得ることに繋がるアクションを促そう。

エンプティステート、オンボーディング・ツールチップ、チェックリスト、プロダクトツアーは、絶対に取り入れなければならないというものではない。これらのプロダクトバンパーは、必要な箇所にだけ導入すればよい。どう使うかによって効果も変わる。

以上で主なプロダクトバンパーの紹介を終えた。次に、コミュニケーションバンパーがどのようにオンボーディングを支えているか見ていこう。

コミュニケーションバンパー

コミュニケーションバンパーは、ユーザーを啓蒙したり、プロダクトサイト（アプリ）からいったん離れたユーザーの再訪を促したり、有料版へのアップグレードを促したり、プロダクトの新機能を知らせたりする役割を担う。eメール、プッシュ通知、説明動画、ダイレクトメール、SMSなど、どんなコミュニケーション媒体もバンパーになり得る。

コミュニケーションバンパーを設定する理由は次のとおりだ。

1. ユーザーを啓蒙するため
2. 正しい期待値を設定するため
3. アプリ外にいるユーザーを引き戻すため
4. プロダクトの利用動機と購入動機を上げるため

ユーザーを啓蒙し、正しい期待値を設定する良い方法の1つとして、ユーザーオンボーディング・メールがある。同じ意図の内容であれば、メールでなくともプッシュ通知やダイレクトメールなど他の媒体を用いてもよい。

ユーザーオンボーディング・メール

ユーザーオンボーディング・メールの特徴は、ウェブサイト上ではできないことをやることにある。主にサイト／アプリの外にいるユーザーを引き戻す役割を担う。スポーツジムを例にとると、暫くジムを訪れていない会員の家に出向き、ベッドから引っぱり出す役割を果たすのがユーザーオンボーディング・メールだ。ユーザーオンボーディング・メールの最終目標は、メールを送る必要自体がなくなることだ。自転車の補助輪をずっとつけたままにしないのと同じで、オンボーディング・メールは、ユーザーが「本当に」使えるようになるまでの適応期間をサポートするためのものだ。ソフトウェアにおける適応期間は、自発的・習慣的に使うようになるまでを意味する。これを実現するためには、サインアップからはじまるカスタマージャーニーのクリティカルなポイントで、ユーザーオンボーディング・メールを取り入れるとよい。ユーザーオンボーディング・メールは、２つの骨の間にある関節のように、1つのアクティビティから次のアクティビティへと繋げる結合組織のようなものだ。

――Customer.io（カスタマー・ドット・アイオー）

ユーザーオンボーディング・メールで一番の課題となるのは、どのようなメールを送るか判断することだ。このプロセスが少しでも楽になるよう、ユーザーオンボーディング・メールの利用用途トップ9を以下にリストアップした。

1. ウェルカムメール
2. 利用ガイドメール
3. セールスタッチ・メール
4. カスタマーレビュー
5. ケーススタディ・メール
6. ベターライフ・メール
7. トライアル後のアンケートメール
8. 有効期限切れ警告メール／トライアル延長メール
9. カスタマーウェルカムメール

理想的なユーザーオンボーディング・メールは、プロダクトの延長線上にある。オンボーディング・メールには、アプリの外にいるユーザーを引き戻し、プロダクトを使ってもらうことで満足感を与える魔法のような魅力がある。

最大限の効果を得ていただくため、ここから先は、自社サービスで実際に使うユーザーオンボーディング・メールを下書きしながら読み進めてほしい（ペンやノートパソコンを準備する人がいたら、ここで待とう）。

ウェルカムメール

ウェルカムメールは、サインアップ後すぐに配信される。ウェルカムメールの良いところは、開封率が高いことだ。最低60％の開封率を目指そう。

ウェルカムメールが人々の関心を得やすいことを考えると、どのような内容を盛り込むべきだろうか？　プロダクトについてあれこれ説明し、アップグレードを促す一文を入れたい気持ちはよく分かる。だが、そのアプローチはおすすめしない。

ウェルカムメールには2つの目的がある。
まず、あなたからのメールは必ず開いてもらうよう**ユーザーを啓蒙する**こと。
そして、この先に何が控えているのか、**ユーザーの期待値を設定する**ことだ。

この2つを念頭に入れつつ、ウェルカムメールに明確な行動喚起（CTA）が含まれていることを確認しよう。まだプロダクトを立ち上げたばかりのサービスなら、サインアップをした理由を聞くことをおすすめする。多くのことが学べるだろう。ユーザーが自社プロダクトに期待する対価が特定できるようになるはずだ。
ウェルカムメールをどのように書いたらよいか途方に暮れているとしても、心配する必要はない。以下にサンプルメールを2つ紹介しよう。

ウェルカムメール文例1

件名：御礼とご挨拶
本文：
はじめまして。

当サービスにご登録いただき、誠にありがとうございます。

［企業名］の共同創業者の1人として、大変嬉しく思います。

［プロダクトが解決する主要成果］をユーザーのみなさまにご提供すべく、［企業名］チーム一同、全身全霊をかけてこのプロダクトを立ち上げましたので、このサービスを使っていただける方が増えるたびに嬉しくなります。

［ユーザー名］様が確実に［プロダクトのバリュープロポジション］を得られるよう尽力することが私の役目ですので、我々のプロダクト、ウェブサイト、どのようなことでも、ご不明点や質問がありましたら、このメールに返信するかたちでお気兼ねなくお知らせください。

［ユーザー名］様が［達成したい主要成果］を達成できることを願っています！

ご連絡をお待ちしています。

——ウェス、サービス共同創始者より

ウェルカムメール文例2

件名：［企業名］へようこそ

本文：

こんにちは。［企業名］にご登録いただきまして誠にありがとうございます。我々は以下のお悩みの解決を支援いたします。

・ユーザーメリット1（例：「Xについてもう悩む必要はありません」）
・ユーザーメリット2（例：「ついに、それも短時間で、Yを実現できるようになります」）
・ユーザーメリット3（例：「初月無料です」）

ですが、いずれも使いはじめないことにはなにも始まりません。

＝＝＜ダッシュボードの作成はこちらから＞＝＝（CTAの一文）

ウェスより

ポイント

- ウェルカムメールはユーザーオンボーディング・メールの中で一番開封率が高い。
- ウェルカムメールの主な目的は、あなたからのメールを開くようユーザーを啓蒙すること、そしてこの先に控えている提供価値を知らせて期待値を設定すること。
- このメールを確実に受け取ってもらえるよう、そしてスパムメールのフィルターに引っかからないよう、初回メールは画像のないプレーンテキスト形式で配信することをおすすめする。

利用ガイドメール

ウェルカムメールは複雑でないほうがよい。だが、やがてもう少し踏み込んだ助け船が必要になるときがくる。そういうときこそ、利用ガイドメールだ。

利用ガイドメールは、ユーザーが成功するために必要なステップの案内で役立つ。

何を促すかに細心の注意を払おう。促した行動が有意義な体験に繋がらなければ、ユーザーのモチベーションは台無しになる。ストレートラインのオンボーディングトラックに含まれていないステップは、このメールで送らないようにしよう。

この利用ガイドメールの主な目的は次の3つだ。

1. ユーザーを特定のプロダクトページ（例：「ユーザー管理」ページ）に誘導する
2. ヘルプセンターの記事やブログ投稿（例：「社外ユーザーを招待する方法」）に遷移する
3. 実行可能なベストプラクティスを提供する、または離脱ユーザーに再訪を求める

この3つが実現できれば、より多くのユーザーを成功に導くことができる。ウィスタ社のソープボックスが良い例だ。このプロダクトではじめて動画をつくり終えると、その動画を誰かにシェアするよう促す内容の利用ガイドメールが送られてくる。

このメールによって、ウィスタが提供する機能の理解が深まるだけでなく、動画共有をすることで得られる有意義な体験をより実感しやすくなるだろう。

ポイント

1. 利用ガイドメールでは、ユーザーがプロダクトを使って成功するために必要なアクションを促す。
2. 理想的な利用ガイドメールは、特定のオンボーディング・タスクの完了または未完了をトリガーに配信される。

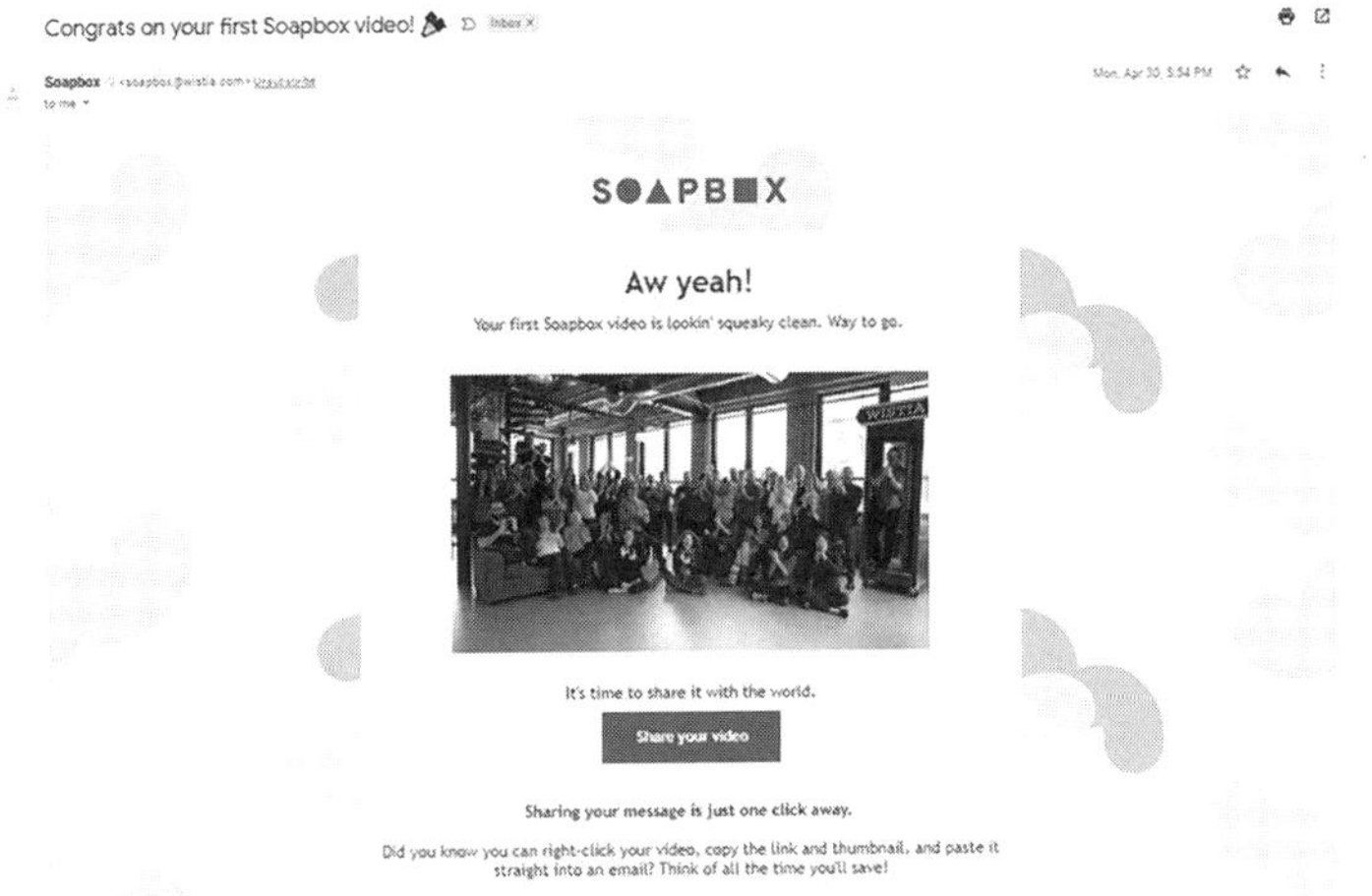

Congrats on your first Soapbox video!　Inbox

Soapbox <soapbox@wistia.com>
to me
Mon, Apr 30, 5:54 PM

SOAPBOX

Aw yeah!

Your first Soapbox video is lookin' squeaky clean. Way to go.

It's time to share it with the world.

Share your video

Sharing your message is just one click away.

Did you know you can right-click your video, copy the link and thumbnail, and paste it straight into an email? Think of all the time you'll save!

ストレートライン・オンボーディングトラック上の特定のステップをユーザーが踏み損ねたら、利用ガイドメールを送ることで、さり気なくそのステップへ誘導することができる。ストレートラインのステップをすべてクリアしたら、やがて、アップグレードを求めるタイミングがやってくる。

セールスタッチ・メール

セールスタッチ・メールは、その名のとおりのものだ。メールは自動配信でも問題ないが、送るタイミングは重要だ。配信が早すぎると、ユーザーは逃げてしまう。配信が遅すぎると、獲得できるはずだった売上を逃す。ＰａｒｔⅡで紹介したＵＣＤフレームワークによると、セールスタッチ・メールを送る最適なタイミングは、有意義な価値を提供した直後だ。

以下の例で挙げているデータボックス社にとってのベストタイミングは、ユーザーがはじめてカスタマイズしたダッシュボードを作成したときだ。

セールスタッチ・メール文例1

件名：必要な設定は完了しました

本文：

ウェスリー様、こんにちは。

データボックスのカスタマイズに必要な設定がすべて完了しました。

難しい作業はこれで終わりです！　これ以上複雑な作業はありません。

何か不明なことがありましたらご連絡ください。

ご参考までに、以下はよくいただくご質問例です。

・グーグルアナリティクスで設定したゴールやイベントを可視化する方法は？

・グーグルスプレッドシートに保存してあるデータでダッシュボードを作成する方法は？

・API経由でカスタムデータを送ることはできますか？
・エージェンシー向けのパートナープログラムは提供していますか？
データボックスでどのようなことを実現されたいですか？　本メールに返信いただくかたちで是非教えてください。

アンドリューより

メール文に「営業っぽさ」がないことに注目してもらいたい。このメッセージの目的は、ユーザーにサービス（プラットフォーム）からより多くの価値を得てもらうことだ。セールスタッチ・メールでは次の2つを試してほしい。

1．セールスタッチ・メールは、成果達成のために必要な設定が完了したことを称え、より多くの価値を得てもらう方法を紹介する「サクセス・ミーティング」と捉えよう

2．非アクティブ・ユーザーには、オリエンテーション・デモ（例：「ドキュメント共有とチーム間コラボレーションを実現するための30分コース」）に招待しよう

テンプレートを探しているなら、クレア・サクレントロップ氏がユーザーリスト・ドット・アイオーで以下の素晴らしいメールテンプレートを共有している。

セールスタッチ・メール文例2

件名：［有料機能があれば人生が楽になると思わせるフレーズ］

本文：
こんにちは、{{user.first_name | default : "there"}}（編注：自動挿入タグ）
［件名で取り上げたペイン］は辛いですよね。［ペインによって生じる問題点を数点取り上げる（例：残業のもとになる、重要なファイルを誤って削除してしまう、重要なファイルがあちこちに散在している、会議の設定や再設定に毎週貴重な時間を無駄にしている）］
［有料機能］があれば、［大きなベネフィット（例：金曜日の午後休を取得できるようになる、ファイルが1つの場所にあることが分かり安心して一休みできる、生産性を18%上げるこ

とができる）］が実現できます。

この［有料機能］は、［有料プラン名］プランの一部です。［有料プラン名］にアップグレードすれば、問題解決です！

早速注文ページにアクセスし、［得られるベネフィット］を始めましょう。［リンク］

［署名］

ポイント

・セールスタッチ・メールは、ユーザーがプロダクトから有意義な価値を得た直後のタイミングで送ろう。

・ユーザーがプロダクトからより多くの価値が得られるよう支援することにフォーカスした内容にしよう。

このように、送るタイミング、そしていかに役に立つ内容かがセールスタッチ・メールの要だ。だが、ユーザーに納得してアップグレードしてもらうためには、プロダクトの価値をさらに明確に提示しなければならないことがある。そのために良い方法の1つが、ケーススタディ・メールだ。

ケーススタディ・メール

コピーハッカーズのジョアナ・ウィービー氏によると、ケーススタディ・メールはストーリーを正しく伝えることができれば、素晴らしいものになる。[38]「ストーリーを正しく伝える」とは、以下ができる良き語り部であれ、ということだ。

・冒頭で相手の心をつかむ
・1つの文から次の文へと読者を惹きつける
・物語は、登場人物がある行動をしている最中のシーンから始める
・説得力のある登場人物をつくる
・衝突を核としたストーリーを設定する

衝突がなければ、ストーリーもつかみもなく、読んでくれる人もいないだろう。

ケーススタディ・メールには、利用事例を集めた動画[39]やユーザーストーリー、従来のようなケーススタディなどを含めてもよいが、いずれにしても、プロダクトを使うことにまつわるストーリーを伝えよう。インビジョン社では、ユーザーが実際にプロダクトを使って作成した素晴らしいデザインをショーケースにすることで、これをうまく実現している。

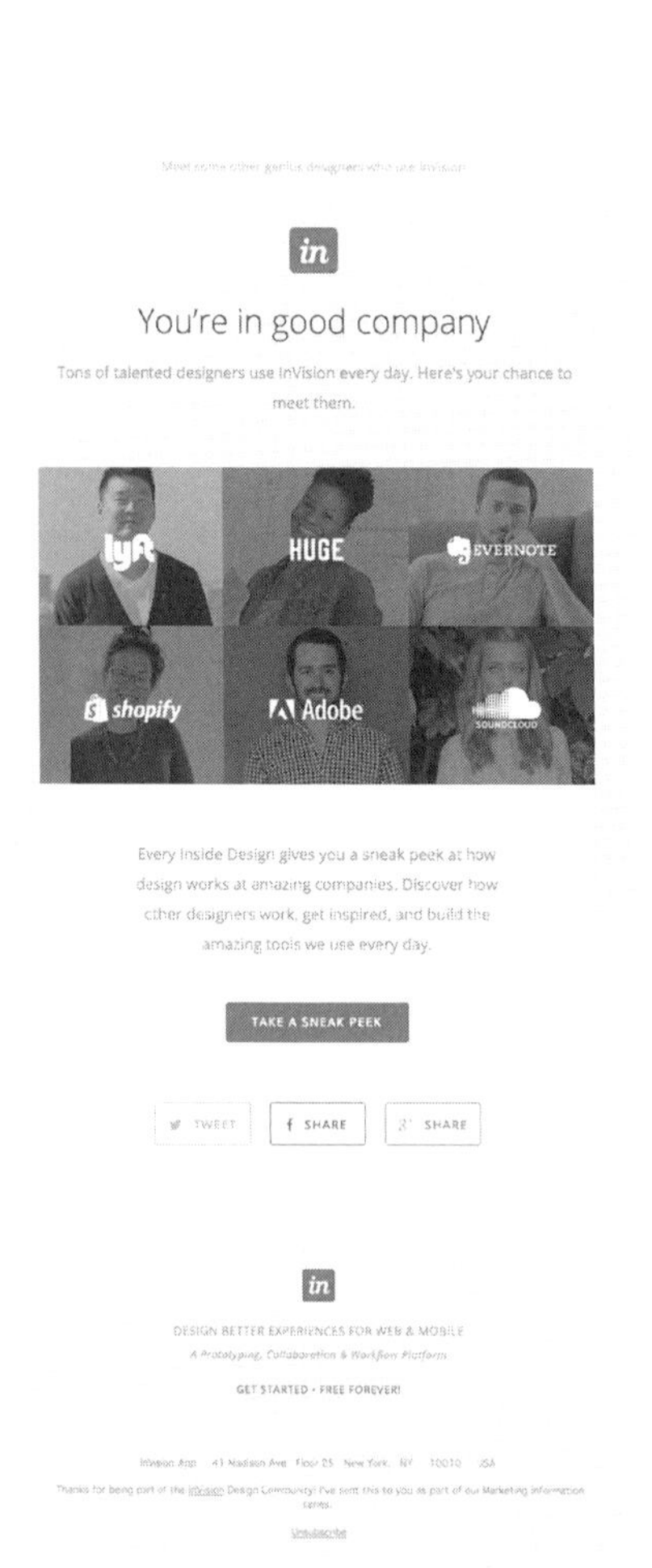

ユーザーボイスをピックアップする際は何を基準に選ぶとよいだろうか？　おすすめは、売る際によく受ける反対意見をベースに選ぶことだ。以下は反対意見の一例を挙げる。

- 値段が高すぎる
- 予算が足りない
- 現時点では必要がない

こうした反対意見に対応するユーザーボイスを組み合わせよう。たとえば、一番よく受ける反対コメントが「値段が高すぎる」ということであれば、自社のプロダクトを使うことでいかに多くの価値が得られたか分かるユーザーボイスを選ぼう。サイトの冒頭に一番よく受ける反対意見とそれに対応したユーザーボイスを提示すると、反対意見に対処する負荷を減らすことができる。

ケーススタディ・メールを、ユーザーに営業をかける前に送ると、有料プランへのコンバージョン率が上がる。[40]

ポイント

・営業フェーズに入る前にケーススタディ・メールを送ることで、想定される反対意見に事前に対処することができる。
・ケーススタディ・メールは、どんな内容であれ、「ユーザーにとってどう役に立つか？」という問いに答えられるものになっていることを確かめよう。

ベターライフ・メール

ケーススタディ・メールは、反対意見に対処する強力な方法だ。だが時には、ケーススタディだけでは足りず、プロダクトのメリットを改めて説得する必要がある場合がある。その際に取り入れると良い方法が、ベターライフ・メールだ。

ベターライフ・メールは、プロダクトのベネフィットを伝えるためのものだ。この類のメールのCTAはアカウントのアップグレードを促すものである場合が多いが、特定の機能を試すよう促してもよい。

ベターライフ・メールで伝えるのは、ユーザーストーリーではない。プロダクトのベネフィットだ。ツイスト社のベターライフ・メールでは、「就業時間を取り戻そう」と提案し、チームメンバーにもサインアップしてもらうよう促している。

Launch Twist

Take back the workday

According to the Harvard Business Review, knowledge workers spend as much as **80% of the workday** just communicating – in meetings, on calls, via email and group chat.

Changing the way you collaborate is hard. But imagine what you could accomplish if you gave your team the tools to focus on doing their best work instead of constantly responding to emails and group chats.

If you're not sure if Twist is a good fit for your team – or if you need help convincing your coworkers to get onboard – here's a short article to help you make the right decision:

How Twist can help your team →

Ready to start now? Invite your team

Our best,
The Twist team

> "Now that we're using Twist we spend less time digging through overflowing inboxes and searching through outdated chat conversations."

—Ellen Luccock
Director of Client Relations, The Management Coach

What Twist users have to say...　　See all quotes →

Stay in touch with your team from anywhere. **Download the apps**

Blog | Twitter | Help Center

Unsubscribe from Twist tips

画像クレジット：reallygoodemails.com

ベターライフ・メールでは、プロダクトがどのようにユーザーの日常（ライフ）をより良くできるかを示そう。たとえばＢＩツールを販売しているなら、ユーザーがこれ以上エクセルで数字と格闘する必要がないことを強調しよう。

ベターライフ・メールでよくある過ちは、プロダクトの機能的対価だけに注目することだ。機能的、感情的、社会的の３つの対価に訴える必要があることを忘れないでほしい。それぞれ改めて説明しよう。

- **機能的対価**：ユーザーが解決したい主要タスク
- **感情的対価**：機能的対価を達成した結果、感じたいまたは避けたい感情
- **社会的対価**：プロダクトを使うことで得られる他者からの評判

これら３つの観点から購入理由を把握していると、コンバージョン率を著しく上げ、より多くのユーザーを獲得できるようになる。ベターライフ・メールの作成に取りかかる前に、次の点を自問してみよう。

・見込み顧客は、どのベネフィットに最も興味を示すことが多いだろうか。
・ユーザーが間違いなくアップグレードするのは、どのベネフィットを提示したときだろうか。

これでどのベネフィットを強調するとよいか、見当がつくはずだ。

ポイント

・ベターライフ・メールは、プロダクトのベネフィットをショーケースとして見せるものである。
・CTAは、ユーザーにアップグレードを促すだけでなく、特定のプロダクト・ベネフィットを体験するよう促すものでもよい。

プロダクト主導型企業の多くは、トライアル期間中、プロダクトを使うことで実現できる「より良い日常」（ベターライフ）をアピールすることを忘れ、ユーザーは既にプロダクト・ベネフィットを理解していると想定している。これでは、プロダクト価値を再定義し、説得力あるビジネスケースを築き上げる貴重な機会を失うことになる。フリートライアルがある場合、時間が限られているので特に致命的だ。チャンスを逃さないようにしよう。

有効期限切れ警告メール

有効期限切れ警告メールは、ユーザーにフリートライアル期間が終了する前にアップグレードするよう促す。フリーミアムモデルはプロダクトの一部が無期限で無料なので、この類のメールは使わない。とはいえ、ハイブリッド・モデル（フリートライアルとフリーミアムの両方）を採用している場合は、このメールでユーザーのアップグレードしようというモチベーションを高めることができる。

オプト・アウト型のフリートライアル[41]（クレジットカード情報を事前に求める形式）を採用している場合、有効期限切れ警告メールの配信は必須だ。送らないと、ユーザーを不機嫌にさせ、サポートデスクに返金要求が殺到するだろう。

思い返してみてほしい。クレジットカード情報の入力が必須のサービスにサインアップをし、うっかり無料期間を過ぎてしまった経験はないだろうか。そのとき、キャンセルするのを忘れていたと気づくまで、そのプロダクトに払い続けただろうか。それともキャンセルをし損ねただけだからと、サポート窓口に返金を要求しただろうか。

フリートライアルのサインアップでクレジットカード情報の入力を必須にするべきかという議論はさて置き、基本ルールとして、アカウントはユーザーにとってキャンセルしやすいものであるべきだ。

Square space（スクウェアスペース）社は、トライアル期間が近いうちに切れることを知らせるメールを配信している。このメールでは、プロダクトのバリュープロポジションを改めて提示することで、今すぐアップグレードすべき理由を示している点が素晴らしい。

ポストマーク・アプリによると、有効期限切れ警告メールには3つの目的がある。[42]

1．期待値を明確に設定する

トライアル期間は有限だ。だが、ユーザーがサインアップ時にクレジットカード情報を提供していれば、期限後、自動的に課金されることになる。ユーザーには請求について数日前に知らせ、驚かせないようにしよう。

Your free trial expires in 24 hours.

Your 14-day trial for http://amy-smith-podj.squarespace.com ends in 24 hours and we hope you've enjoyed the experience. Our plans start at $8 per month and by upgrading now, you'll ensure your website stays live and can take full advantage of these great features:

Have questions about upgrading?

Our support team can answer any question about upgrading to a full Squarespace account. We're on call 24 hours a day, 7 days a week, and respond to all questions in under an hour. If you need assistance, contact us anytime by visiting our Help Center.

Let us know if there's anything we can do.

The Squarespace Team

サインアップしたことを忘れているユーザーに課金して怒らせるのは、一番避けたいものだ。請求されていることに気づいた途端、全額返金を求められることは間違いない。

クレジットカード情報を求めない場合でも、有料版に移行するユーザーとの間に誤解が生じることがないよう、移行プロセスを設計しよう。

以下の方法でそれが実現できる。

- 期限について、できるだけ何度もユーザーに知らせる
- いつトライアル期間が終了するのか、トライアル期間が切れたら何が起きるのか、明確に示す
- ユーザー自らアップグレードできるよう、ＣＴＡを提示する

2. ユーザー自身でアップグレードやキャンセルをしやすくする

ユーザーの中には、アップグレードする人もいればしない人もいる。多くのユ

ーザーにアップグレードしてほしいからと、アップグレードしやすいように設計したくなるものだが、実際はほとんどの人がアップグレードしない。だから、アカウントのキャンセルも、ユーザー自身で実行しやすいようにしておくべきだ。有効期限切れ警告メールは、このプロセスをより簡単にするだけでなく、プロダクトに対して良い印象を残すことができる。

3．問い合わせ先を明確にする

トライアル版から有料版への移行にはストレスを伴う。だから、ユーザーがソフトウェアを使おうと決めたら、その先の移行はシームレスであるべきだ。いつから料金が発生する？　チームから購入の承認をもらうにはどうしたらいい？　中には、トライアル中のデータをそのまま保持できるか気になるユーザーもいることだろう。

有効期限切れ警告メールでよくある過ち

疑問や気になることは、いくらでもある。そのようなとき、どこに行けばサポートが受けられるかをユーザーがきちんと把握していることを確かめよう。有効期限切れ警告メールで押さえるべきポイントすべて網羅したのに、以下のよくある過ちを犯していたということがないよう、気をつけよう。

トライアルの有効期限切れ警告メールは、次のまったく異なる2タイプのユーザーに届けられている。

1. 有料版にアップグレードしたいユーザー
2. 有料版にアップグレードしたくないユーザー

同じメールで、メール文を複雑にすることなく、両タイプのユーザーのニーズを満たす必要がある。多くの過ちは、この相反する目標に起因する。

1. 事前に十分な情報が提供できていない

トライアル期間が切れるタイミングが、週末やバケーション、移動中と重なる場合があるので、事前の周知が大切だ。事前に知らせることで、ユーザーは、有料プランに移行してサービスを滞りなく使い続けるか、アカウントをキャンセルして不本意な支払いを防ぐかをトライアル期間が切れる前に決めて行動に移すことができる。

有効期限切れ警告メールは、遅くとも期限の3日前までに送ることをおすすめする。プロダクトを継続するか判断するために十分な時間を与えよう。

2. ユーザーは有料会員になりたいものだと想定している

よくある有効期限切れ警告メールにおける最大の過ちは、本文内にプロダクトの提供価値（バリュープロポジション）が示されていないことだ。なぜアップグレードする必要があるのか、説得力のある理由を本文に含めると、より多くの人にアップグレードしてもらえるようになる。

フリートライアルに登録したからといって、その人は購入する準備が整っているとは限らない。実際、フリートライアルやフリーミアムモデルに登録した人のほとんどが、アップグレードしないものだ。アップグレードしてもらうためには、そうすべきもっともな理由を示す必要がある。左のスクリーンヒーローのメールを見れば、アップグレードする理由を説明していないことがいかに致命的か、分かっていただけるだろう。

一方、スクウェアスペースの有効期限切れ警告メールは、プラットフォームの主要ベネフィットを強調することに成功している。これを読めば、アップグレードするべき理由が一目瞭然だ。

Screenhero

Hi Matthew,

Thanks for signing up for Screenhero. We hope you have been enjoying your free trial.

Unfortunately, your free trial is ending in 3 days.

We'd love to keep you as a customer, and there is still time to complete your subscription! Simply visit your account dashboard to subscribe.

As a reminder, when your trial expires you will be automatically placed on the free guest plan.

If you have any questions or feedback, just reply to this email, and we'll get right back to you.

-- The Screenhero Team

まとめると、有効期限切れ警告メールは、次の質問に答えられるものにしよう。

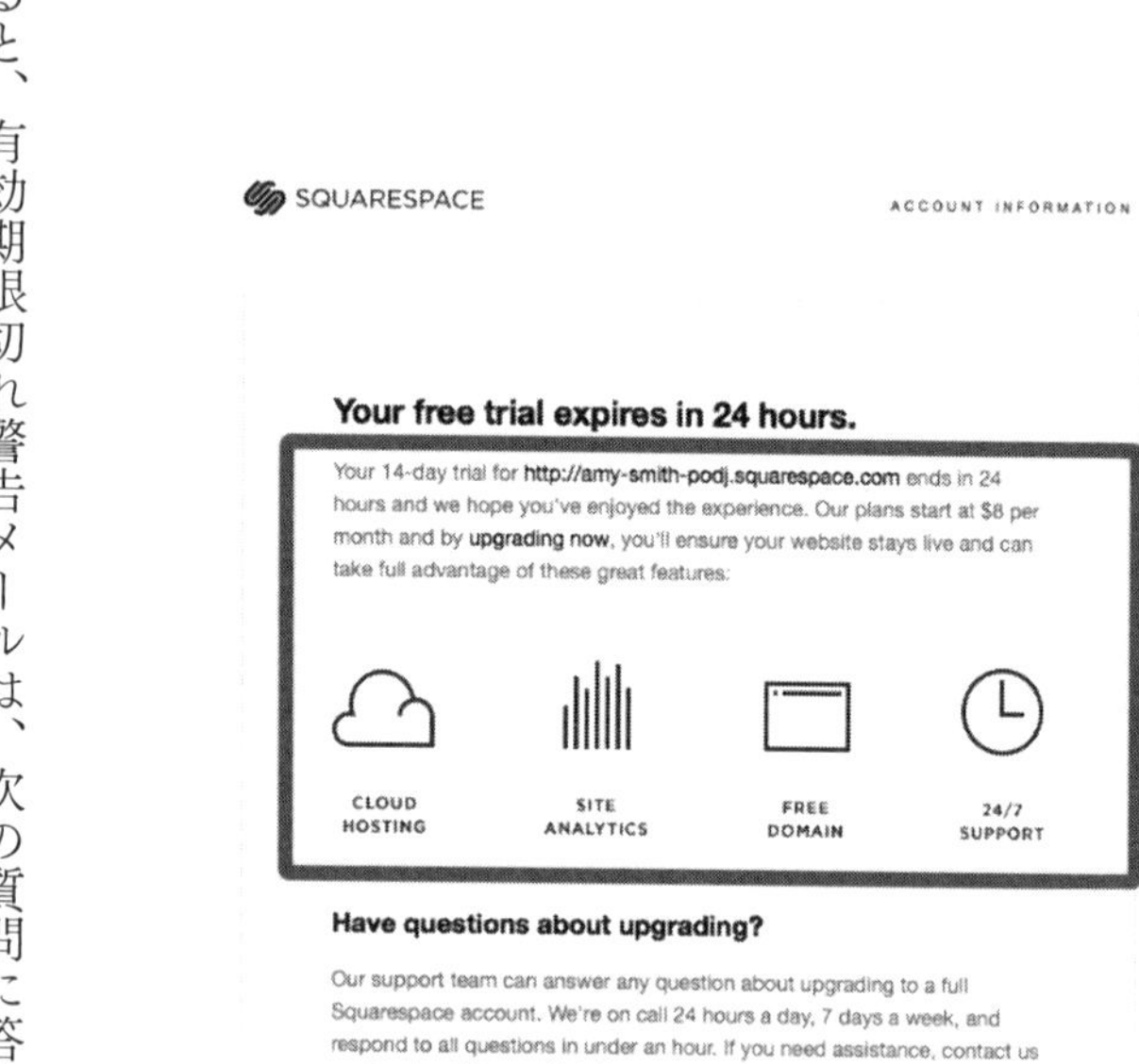

1. なぜアップグレードする必要があるのか？
2. アップグレードするにはどうしたらよいか？
3. いつまで無料で使い続けられるか？
4. トライアル期間が終了するとどうなるか？
5. （クレジットカード情報を事前に登録していた場合）キャンセルしたい場合はどうしたらよいか？
6. 質問がある場合はどこに問い合わせたらよいか？

ポイント

- オプト・アウト型のフリートライアルを提供している場合は、必ず有効期限切れ警告メールを送らなければならない。送らないと、サインアップしたことを忘れたユーザーから、使っていないプロダクトに対して請求されたとクレームがくることになる。
- 有効期限切れ警告メールでは、自社のバリュープロポジションを毎回提示し、アップグレードする必要性をユーザーに訴えよう。
- 受け取った有効期限切れ警告メールからアップグレードしやすくしよう。

フリートライアルを導入している場合、有効期限切れ警告メールはアップグレードを促す強力な手法だ。なぜなら偽りのない緊急性を伴っているからだ。では、ユーザーがこのオファーを受け入れてくれたら、次は何をしたらよいだろう？　手始めに、カスタマーウェルカムメールを送ろう。

カスタマーウェルカムメール

このような経験はないだろうか。航空券を何とも疑わしいウェブサイトから購入してみたがために、心配しながら予約確定メールが届くのを待つ。信頼していないブランドから何かを購入すると、確定メールが届くのを待つのは永遠のように感じられるものだ。自社サービスの新規ユーザーも、同じように感じている。

カスタマーウェルカムメールは、以下の方法で、そのようなユーザーの不安感を取り除くことができる。

1. ユーザーが正しい選択をした旨を伝え、安心させる
2. アップグレードしたことによってできるようになったことを改めて伝える

3．この先に何が起きるのかを伝え、期待値を設定する（例：カスタマーサクセス担当者から連絡がくるか？）

カスタマーウェルカムメールを即座に送っているサービスがあまりにも少ない。多くの企業は手動でコンタクトをとっているため、時間がかかるのだ。連絡がくるまで、ユーザーは自分の選択は本当に正しかったのかと不安を募らせる。ユーザーに再検討させることがないよう、正しい選択をしているとすぐに伝え、安心させよう。音楽配信サービスのスポティファイは、ユーザーがプレミアム版にアップグレードすると同時にウェルカムメールを送っている。

スポティファイのメールは、プラットフォームの価値をショーケースにすることで、ユーザーがなぜアップグレードしたのか再認識させている点が素晴らしい。このメールを読んだユーザーは、プロダクトにアクセスし、広告なしで素晴らしい音楽を聴こうというモチベーションが上がる。自社のプロダクトにもフリーミアム版があるなら、プレミアム版でできる機能を提示し、ユーザーがすぐに試せるようにしよう。

画像クレジット：reallygoodemails.com

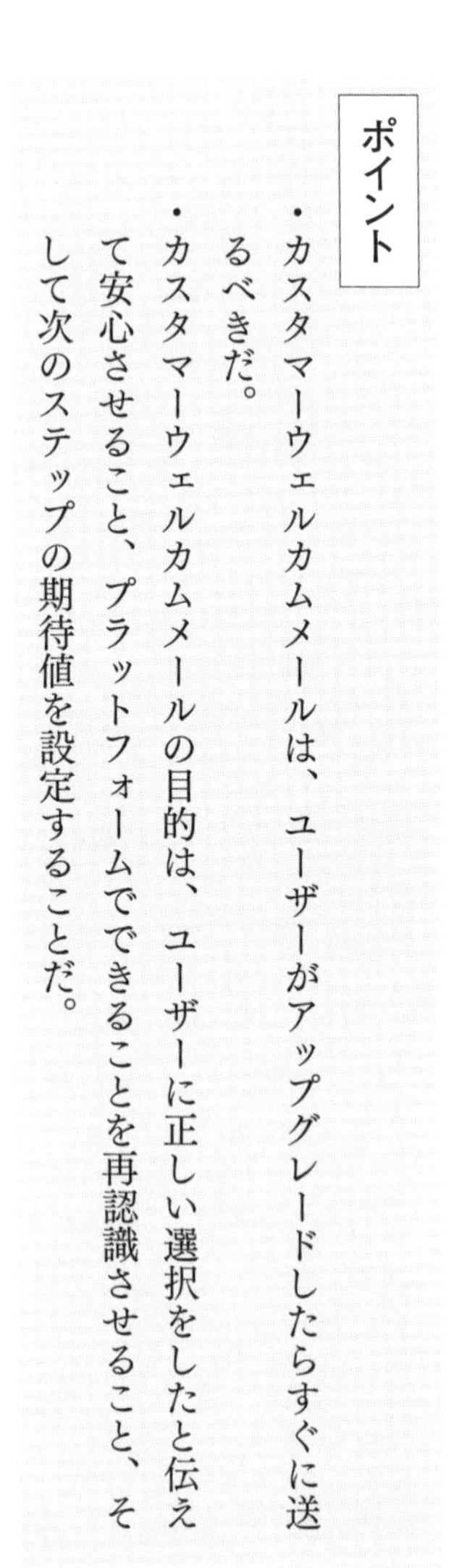

ポイント

- カスタマーウェルカムメールは、ユーザーがアップグレードしたらすぐに送るべきだ。
- カスタマーウェルカムメールの目的は、ユーザーに正しい選択をしたと伝えて安心させること、プラットフォームでできることを再認識させること、そして次のステップの期待値を設定することだ。

カスタマーウェルカムメールは、新規ユーザーに正しい選択をしたことを伝え、安心させるのにとても良い方法だ。だがいくら頑張っても、すべてのユーザーが有料版に移行することはない。そういうものだ。人によっては合っていなかったかもしれないし、値段が高すぎたかもしれない。理由はいくらでも挙げられる。

サービスのフリートライアル体験をより良いものに改善するためには、なぜ一部のユーザーに合わなかったのかを理解する必要がある。

これが、トライアル後にアンケートメールを送ることをおすすめする理由だ。

トライアル後のアンケートメール

素晴らしいフリートライアル体験を用意していても、ほとんどのユーザーはアップグレードしない。ニーズと合致していなかったという人や、ツールを使う時間がなかったという人もいるだろう。中にはプロダクトを使いこなすのにもっと時間や教えてくれる人が必要だった場合もあるだろう。

理由はいくらでも考えられるが、トライアル期間後にアンケートを実施しなければ、その理由を突き止めることはできない。ＭＡ（マーケティングオートメーション）ツールのオートパイロットでは、次のようなメールを送っている。

トライアル後のアンケートメール文例

件名：ウェスリー、60秒のアンケートにご協力ください。

本文：

ウェスリー様、こんにちは。

まだオートパイロットを購入されていないようですね。

オートパイロットのトライアル体験はいかがでしたか？

次の簡単なアンケートで、是非感想をお聞かせください。回答の所要時間はたったの60秒です（実際に測りました！）。

頂いたご意見は、トライアル体験の改善およびみなさまのニーズにより合った体験を提供するために役立ててまいります。

どうぞ宜しくお願いいたします。

ローレンより

このメールは、簡単なアンケートに答えてほしいという用件をストレートに伝えている点が好ましい。

ユーザーが選択した回答に応じて、自動化シーケンスに振り分けるように設計しよう。オートパイロット[43]は、手始めに次のリストに振り分けるようすすめている。

- まだ評価中　↓　トライアルの期間延長を提案する
- 合わない　↓　育成（ナーチャリング）プログラムを促す
- 複雑すぎる　↓　カスタマーサクセス担当者との電話を予約する
- 値段が高すぎる　↓　一度きりのディスカウントを提供する
- 他のソリューションを選んだ　↓　購入プロセスの初期ステージ（トップ・オブ・ファネル）向けの見込み顧客育成（リードナーチャリング）メールを送り、他のソリューションがうまくいかなかったときにすぐに再検討してもらえるようにする
- リサーチ目的で登録しただけ　↓　育成（ナーチャリング）グループに追加する（何か共通項やトレンドはあるか？）

・プロダクト機能や統合機能の一部が足りない　↓　プロダクトロードマップに含まれているか確認し、含まれていたら、いつ頃利用できるようになるかを伝える

トライアル後のアンケートメールを導入すると、購入者からの反対意見に対処できるし、よりパーソナライズされた体験を提供することができるようになる。

ポイント

・トライアル後のアンケートメールで、ユーザーの回答をトリガーに特定のイベントへ誘導させることができると、有料ユーザーへのコンバージョン率を上げられる。たとえば、プロダクトが複雑すぎたからという回答であれば、カスタマーサクセス担当者に繋げ、プロダクト機能を案内してもらうとよい。

ボウリングでは、1回目でストライクが出せなくても、もう一度投げるチャンスが与えられる。サービスも同じで、素晴らしい体験を届けるために再チャンスが与えられる。トライアル後のアンケートメールをそのために活用してみてはいかがだろう。ト

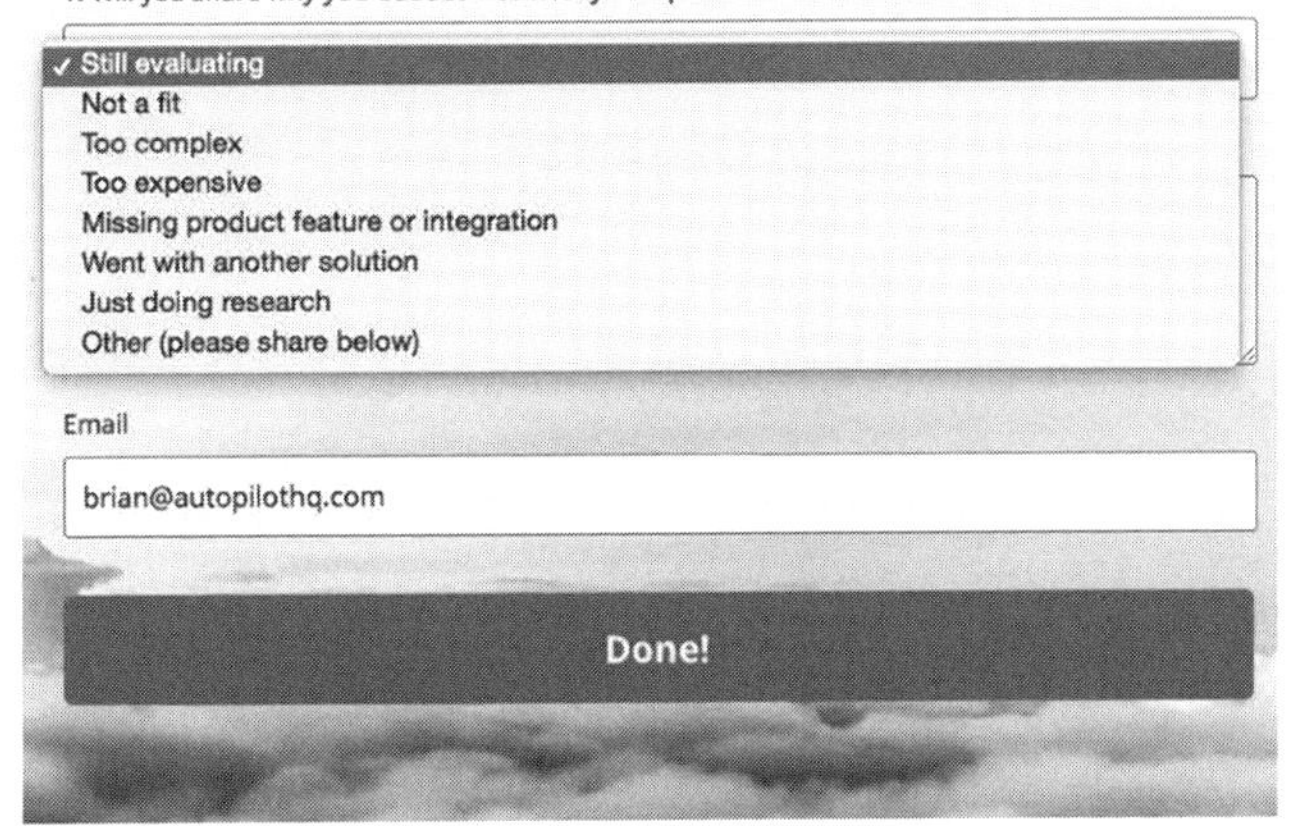
autopilot
Help us improve by answering these two questions...
1. Will you share why you decided not to buy Autopilot?
✓ Still evaluating
Not a fit
Too complex
Too expensive
Missing product feature or integration
Went with another solution
Just doing research
Other (please share below)
Email
brian@autopilothq.com
Done!

ライアルに登録したユーザーは、理由あって自社プロダクトに興味を持ったのだ。彼らの目的が果たせるよう支援しよう。

以上で、オンボーディング・メールの種類を一通り説明した。最後におさらいだ。

ユーザーオンボーディング・メールのまとめ

世界一素晴らしいキャッチコピーを提示したとしても、オンボーディング体験がユーザーひとりひとりにカスタマイズされたものでなければ、コンバージョン率は奮わないだろう。

たとえば、私があなたのプロダクトに登録し、最初の数日間で何時間か使ってみたとする。オンボーディングのツールチップも一通り確認し、何度もプロダクト価値を体験したとする。私はパワーユーザーで、あなたのプロダクトに心を奪われた。気に入った！

そんなときに基本的な設定手順について説明したオンボーディング・メールが届いたら、私はどう思うだろう。私はとっくにこの設定を済ませている。メールを2秒も見たら、次のように感じるだろう。

1. 私がこのアクションを既に3回は実施済みだということを、送り手は把握していない
2. 汎用的なオンボーディングプロセスしか用意されていない
3. このメールは的外れだ

プロダクトを気に入っていることに変わりはないが、他にあなたが提供できる体験と比較してみよう。

トライアル開始からたった3日間で、私がプロダクトから多くの価値を得ていることにあなたは気づく。そこで、アップグレードしませんかというメールをタイムリーに送る。私は既にプロダクトの虜なのだから、トライアル期間4日目で有料版へのアップグレードを決める。

この2つのシナリオには大きな違いがある。最初の体験は適切でなかったが、後者の体験では私がユーザージャーニーのどの地点にいるか把握していた。

多くのフリートライアルでは、ユーザーオンボーディング・メールの順序は次のように設計されている。

1. 1日目：ウェルカムメール
2. 3日目：ユーザーを啓蒙するコンテンツ
3. 5日目：チェックイン・デモ
4. 8日目：機能紹介
5. 12日目：有効期限切れ警告メール

これは汎用アプローチなので、以下のようなユーザーは想定されていない。

・**パワーユーザー**
既に使っている機能について解説したメールを彼らに送っても的外れだ
・**一度もログインしていないユーザー**
使い方を解説している一歩進んだ内容のメールは無駄なだけだ
・**既にアップグレードしているユーザー**
上述のようなメールを受け取り続けたとしたら、どう感じるだろうこのようなシナリオを避け、有料プランへのコンバージョン率を改善するための唯一の方法は、**スマートなコミュニケーションバンパーシステムを構築する**ことだ。

スマートなコミュニケーションバンパーシステムを構築する

スマートなシグナルシステムは、ユーザーがストレートラインからそれないよう、どのコミュニケーションバンパーをどのタイミングで送ればよいか教えてくれる。

主なシグナルは次の４つだ。

1. サインアップ
2. クイック・ウィン

3. 望ましい体験価値
4. コンバージョン

各シグナルが、ユーザーがカスタマージャーニーのどの地点にいるか教えてくれるため、シグナルに応じて、異なるトラックのメーリングリストに加えることができる。たとえば、あるユーザーがプロダクトでクイック・ウィン体験を得たら、そのユーザーにはプロダクトからさらに価値を得る方法を紹介したメールを送る。ユーザーが求めていた体験価値を得たら、セールスタッチ・メールやケーススタディ・メールを送り、アップグレードを促す。

以降の解説で、オンボーディングトラックで見過ごしがちな点をお伝えしよう。図に雷マークがあるものはトリガー配信されるメールを、時計マークがあるものは経過時間に応じて配信されるメールを指す。

さあ、それぞれ見ていこう。

コミュニケーションバンパートラック1：クイック・ウィン

シグナル：サインアップ
主要成果：クイック・ウィン

下図のとおり、ユーザーがサインアップしたときが、このコミュニケーションバンパートラックの始まりだ。サインアップが完了したらすぐにトリガー配信されるべきだ。プロダクトがどれくらい複雑かによって、1～5通の利用ガイドメールを送り、ユーザー自らアカウント設定ができるよう、サポートをしよう。

以前解説したとおり、利用ガイドメールには次の3つの役割がある。

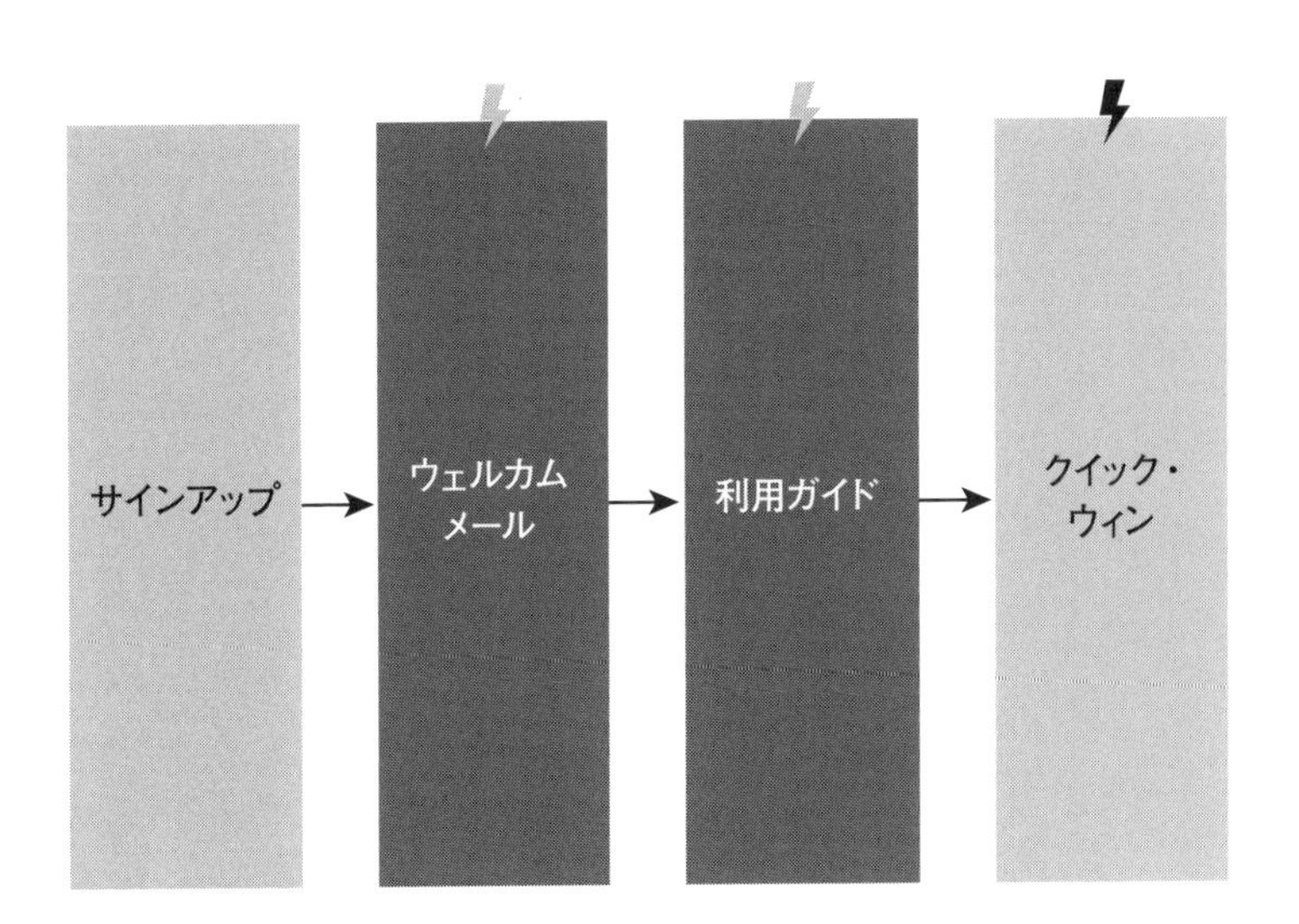

1. ユーザーを特定のプロダクトページ（例：「ユーザー管理」ページ）に誘導する
2. ヘルプセンターの記事やブログ投稿（例：「社外ユーザーを招待する方法」）に遷移する
3. アクション可能なベストプラクティスを提供する、または離脱ユーザーに再訪を求める

このオンボーディングトラックでは、クイック・ウィンを得てもらうことに集中する。ＢＩソフトウェア・ソリューションのオペレーションを担当しているとしたら、最初のクイック・ウィンは、分析結果を可視化するダッシュボードを設定することかもしれない。ユーザーに送る初期のメールは、その成果を実現することだけに注力したほうがよい。プロダクトを使いはじめたばかりでも既にクイック・ウィンを達成しているユーザーには、この利用ガイドメールを送る必要はない。思い出してほしい。プロダクトバンパーは他にもあり、成果達成を支援するためのものもある。コミュニケーションバンパーは、ストレートライン上で必要なアクションをとらなかったときにだけ発動させよう。

たとえばクレイジーエッグというヒートマップツールを提供していて、ユーザーに最初のクイック・ウィンを体験してもらうには、サイト上にトラッキングスクリプトをアップロードしてもらう必要があるとしよう。ユーザーが初回のオンボーディング体験でこれを達成できていたら、この先、スクリプトをアップロードする方法を説明したメールを送る必要はない。反対に、スクリプトをアップロードできていなければ、その方法を説明したメールを送ることはユーザーにとって大きな助けになるはずだ。

ポイント

- ユーザーがクイック・ウィンを得られるよう支援することにフォーカスしよう。
- 必要なメールは、ウェルカムメールと利用ガイドの2種類だけだ。
- この時点で売上を気にする必要はない。ユーザーに成功体験を得てもらうことに集中しよう。

無事クイック・ウィンを体験してもらったら、次の課題は、そのユーザーをいかにリピートユーザーに変えるかだ。それを実現するために良い方法の1つが、ユーザーが望む結果の獲得を支援することだ。

コミュニケーションバンパートラック2：望ましい体験価値

シグナル：クイック・ウィン
主要成果：望ましい体験価値

2つ目のコミュニケーションバンパートラックは、ユーザーがクイック・ウィンを獲得すると同時に始まり、望ましい体験価値が獲得できると終了する。このトラックでも利用ガイドメールを送るが、ここでは、望ましい体験価値を体験してもらうことに注力する。

トラック2は本当に必要かと問われたら、それはプロダクトの性質次第だ。ネットフリックスのようなシンプルなプロ

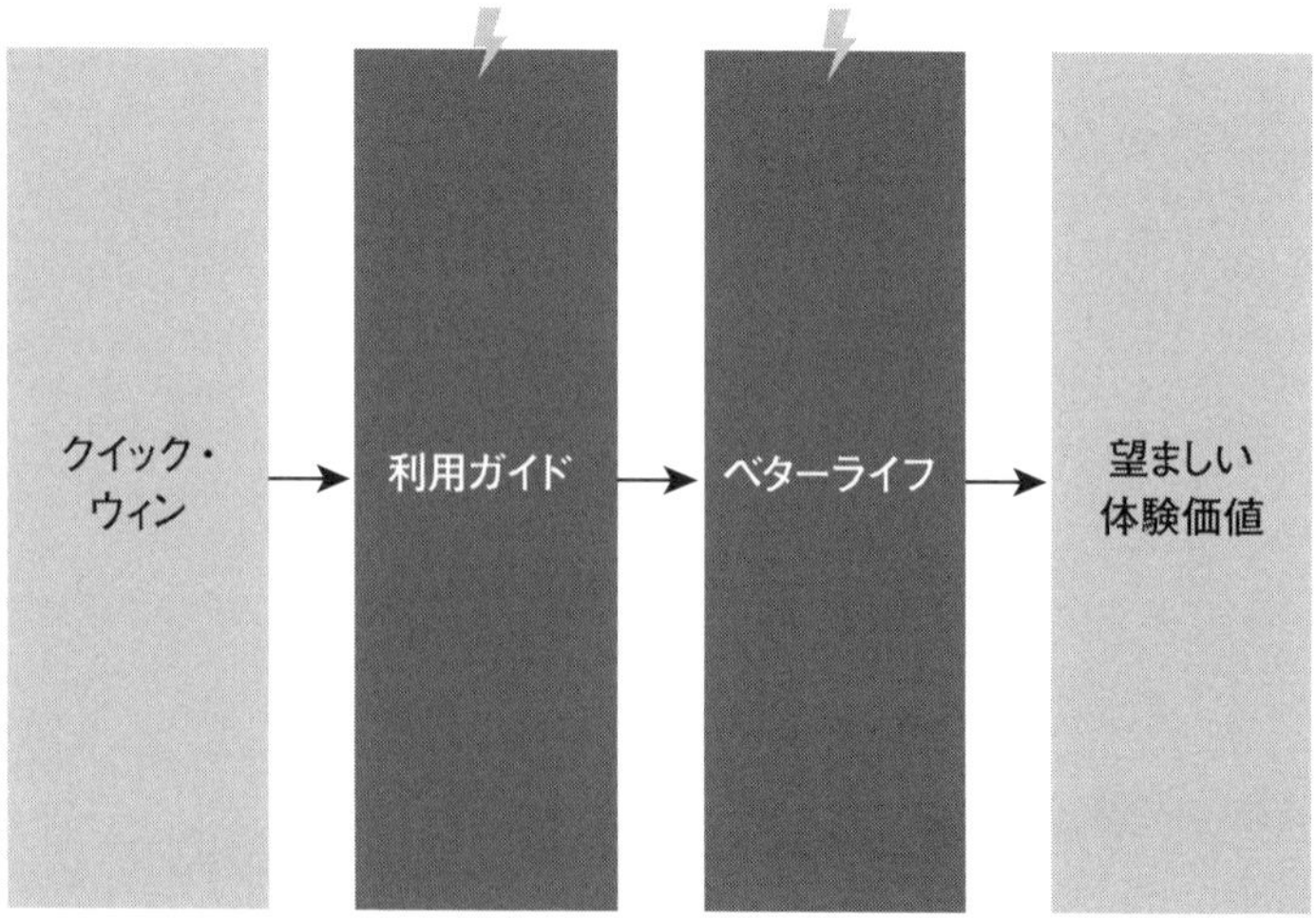

ダクトであれば、わざわざ、再生ボタンをクリックする方法を説明した利用ガイドを送る必要はないだろう。反対に、複雑なプロダクトで、たとえばクイック・ウィンがJavaScriptをアップロードすることだとしたら、トラック2を取り入れると、ユーザーをより早く望む体験価値に導くことができる。

このトラックにベターライフ・メールが含まれているのは、ユーザーになぜサインアップしたのか思い出してもらいたいからだ。望ましい体験価値をショーケースとして提示し、ユーザーにはプロダクトの購入を検討してもらいたい。

ポイント

・コミュニケーションバンパートラック2では、ユーザーを望ましい体験価値へと導くことに注力する。

ユーザーが望む体験価値を獲得できたら、次は有料版にアップグレードしてもらおう。ただし、想定ユーザーと合致していることが前提だ。

コミュニケーションバンパートラック3：コンバージョン

マーケティングトレーニングを提供するＣＸＬのデレク・グリーソン氏は次のように述べている。

「フリーミアムとフリートライアルの登録者には、ある共通点がある。それは、両者とも売上を生み出さない点だ」

最初の2つのトラックでは、売上を生み出すことをあえて避けてきた。

多くの人がコミュニケーションバンパーで失敗してしまうのは、マネタイズしようとするタイミングが早すぎるからだ。最初の2つのバンパートラックを飛ばしてしまうと、前のめりになりすぎる。こ

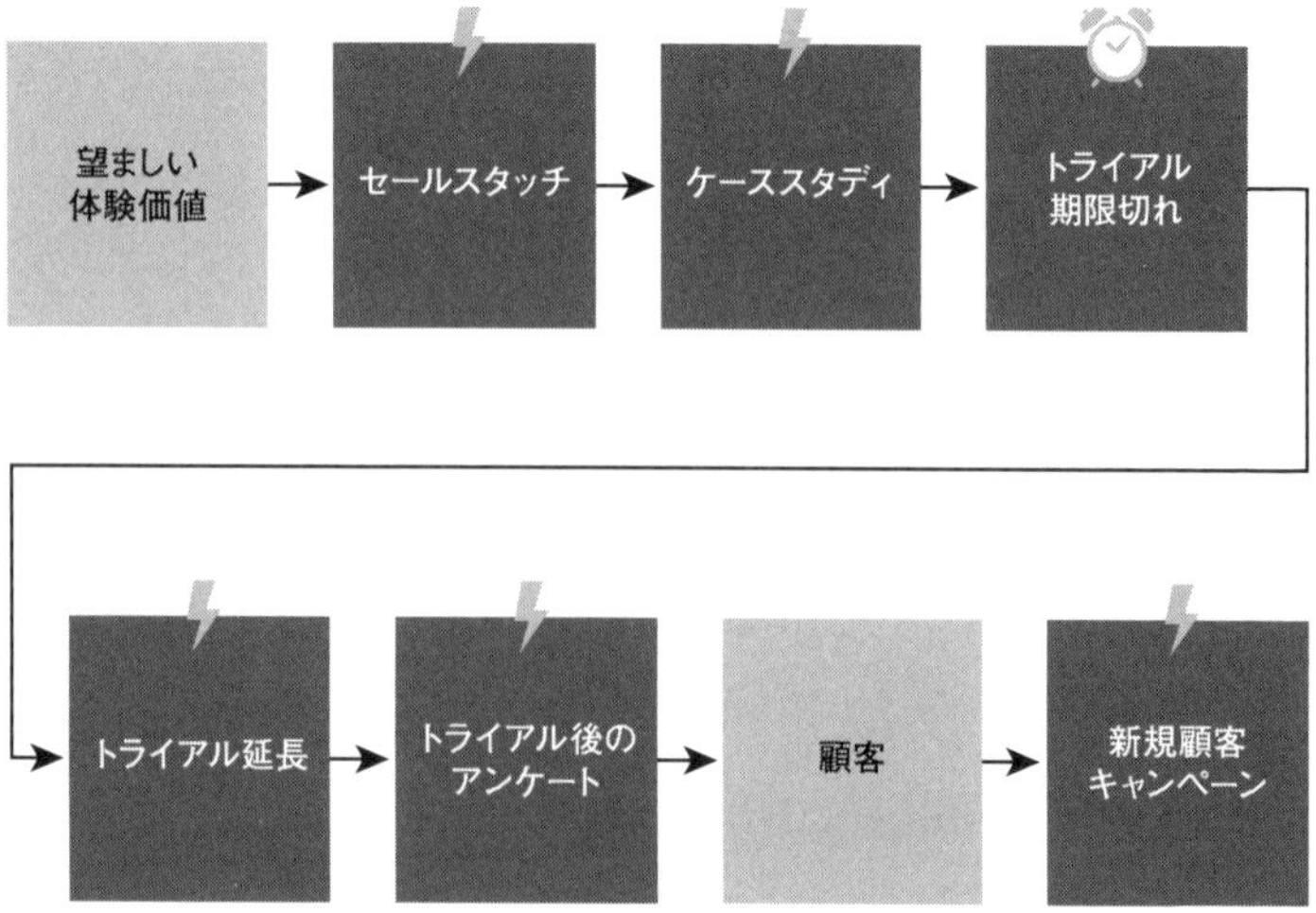

望ましい体験価値 → セールスタッチ → ケーススタディ → トライアル期限切れ → トライアル延長 → トライアル後のアンケート → 顧客 → 新規顧客キャンペーン

の過ちを犯しているなら、まずは最初2つのコミュニケーションバンパートラックを導入しよう。その確固たる基盤がないと、トラック3の戦術は十分な効果を発揮することができない。

トラック3は、一目見ると盛り沢山な内容で、圧倒されることだろう。以下のとおり、様々な種類のメールが含まれている。

1. セールスタッチ・メール
2. ケーススタディ・メール
3. トライアル期限切れメール
4. トライアル延長メール
5. トライアル後のアンケート
6. カスタマーウェルカムメール

トラック3の良いところは、いずれのメールも、有料版にアップグレードしてもらうことに注力している点だ。ここに挙げられているメールをすべて送ったら、ユーザーは圧倒されると思われるかもしれないが、そうとも限らない。それぞれのトラックメールはトリガーがもとになっているので、初回訪問でクイック・ウィンを体験したユーザーには利用ガイドメールは送られず、自動的にトラック２のメーリングリストに追加される。

一方で、初回オンボーディング体験で既に望ましい対価を体験したのに、その後二度とサイトを訪れていないユーザーは、トラック３のメーリングリストに追加することで、サイトに呼び戻し、アップグレードを促せる。

コミュニケーションバンパートラックの真髄は、ユーザージャーニーの特定の地点にいるユーザーに、直接アプローチできる点にある。ユーザーがアップグレードしたら、アップグレードを促すメールも自動的に（手動でもいいが）停止しよう。

トラック３においては、各ユーザーの平均ＬＴＶ（顧客生涯価値）に応じて、ユーザーへのリーチ方法を選択しよう。ＬＴＶが比較的高ければ、それだけ高いＣＡＣ（ユーザー獲得コスト）を賄うことができるので、ロータッチのセールスアプローチを試してみてもよいかもしれない。とにかく、セールスアプローチを平均ＬＴＶと合わせることだ。そうしなければ、持続不能なＣＡＣが事業利益を圧迫しかねない。

ポイント

・ユーザーを有料版にアップグレードさせることに集中しよう。
・ユーザーへのアプローチ方法は、サービスの平均LTVに応じて決めよう。LTVに添ったアプローチでないと、採算が合わないビジネスを運営することになりかねない。
・ユーザーがアップグレードしたら、即座にトラック3のメーリングリストから除外し、カスタマーウェルカムメールを送ろう。

3つの主なトラックを解説したところで、まとめに入ろう。

ボウリングレーン・フレームワークを使いこなそう

コミュニケーションバンパーは、ユーザーがガターに落ち、プロダクトに戻ってこない事態を防ぐためのものだ。コミュニケーションバンパーは、ユーザーが現在いる地点にリーチすることで効果を発揮する。eメールを使うにせよ、SMSやリマーケティング広告、ダイレクトメールを使うにせよ、プロダクトから離れたユーザーを連れ戻す手段はいくらでもある。

コミュニケーションバンパーは、自転車の補助輪のようなものだ。覚えたてのころはなくてはならないが、いずれはなくても使いこなせるようになることが長期的な目標だ。プロダクトが便利であれば、一時的に離れたとしても、ユーザーは自然と戻ってきて、使い続けてくれるものだ。たとえばあなたは、ソーシャルメディアに1週間のうちに何回アクセスするだろう。離れられない状態のはずだ。

　ここまで読まれたら、ボウリングレーン・フレームワークが、いかに営業トークや値引き、「楽しい」カウントダウンタイマーといった細工なしで、より多くのユーザーを有料ユーザー（カスタマー）にコンバージョンすることができるか、ご理解いただけたことだろう。約束した価値を確実に届けることで、より早くユーザーとの間に信頼関係を築き、自社のソリューションがどのように役立つかをユーザーに理解してもらいやすくなる。

　ユーザーが有料版にアップグレードしたら、やることはすべて済んだというわけではない。ビジネスの成長のためには、引くべきレバーがあと2つある。まずはARPUを上げる方法、その次にリテンションについて、掘り下げて解説していこう。

第14章

ユーザーごとの平均収益(ARPU)を上げる

ユーザー平均単価（ARPU）が高ければ、ビジネスをより早くスケールし、より高価な顧客獲得チャネルが使えるようになり、やがてLTVの最大化に繋がる。

これはユーザーひとりひとりの単価を上げようということではない。ジョエル・ヨーク氏も次のように述べている。


リピートユーザーは新規ユーザーより平均67％も多くサービスを購入することが分かっている。[44] ビジネスを成長させるためには、既存ユーザーに対して売るほうが明らかに楽で収益性が高いのだ。


顧客獲得に囚われがちなビジネス界において、資本効率の改善にフォーカスし、ユーザーの数より質の向上に注力するARPUは、流れに逆らっているように思われるかもしれない。

だがARPUが高ければ、各ユーザー層を効果的にマネタイズできていることが分かる。ただし、完璧なメトリクスではない。

一番の落とし穴は、「ユーザー」の定義が曖昧になりがちなことだ。

ユーザーを定義する方法

「ユーザー」に明確な定義は存在しない。ビジネスの性質によるのだ。ネットフリックスやスポティファイのようなサービスであれば、利用料を払っている人がユーザーと言えるだろう。

一方、B2Bにおいては、「アカウント」がユーザーと同義で扱われることが多いが、そのアカウントには複数のユーザーが含まれていることがある。フリーミアムモデルを採用していてARPUを算出する場合は、有料ユーザーだけを「ユーザー」とみなすとよい。

右記のように定義が複数存在すると、混乱が生じる。そこでプロフィットウェルなど一部の企業では、「有料ユーザーあたりの平均単価（ARPPU）」という用語を用い、ユーザーというのはサービス料金を支払っている人だけを指すことを明示している。

ARPU、ARPPU、ARPS、ARPA、ARPC――どの用語を採用するかは自由だが、社内のステークホルダー全員がその計算方法を理解している必要がある。

ARPUはどのように計算したらよいか?

「ユーザー」の定義が決まりさえすれば、ARPUは最も計算しやすいメトリクスの1つになる。

SaaSビジネスにおける一般的なARPUの計算方法は、次のとおりだ。

ARPU＝MRR（月間経常収益）÷ユーザー数

たとえば、

・10万ドルのMRRを持つビジネスで
・現時点のユーザー数が5000名の場合
・ARPUは、10万ドル÷5000＝20ドル　という計算になる。

では、自社のビジネスのARPUはいくらになるか、計算してみよう。算出できたら、次に考えるべきはこの数字をどう活かすかだ。

ARPUを把握する必要があるのはなぜ？

ARPUを把握すると、次のような問いに答えやすくなる。

・ビジネスをどのようにマーケティングしたらよいか？
・自社ビジネスにおいてダイレクト・セールスは効果的か？
・最も収益性が高いユーザーは誰か？

先の例のように、ARPUがたった20ドルの場合、顧客獲得を目的とした法人営業チャネルに2000ドルも費やすと、元をとるのに8年以上かかることになる。解約率が高いビジネスの場合、このチャネルに投資をすれば無駄にしかならない。

ARPUが把握できると、どのチャネルに投資すべきかが明確になる。会員制プログラムを提供するReforge(リーフォージ)社のCEO、ブライアン・バルフォア氏によるとＡＲＰＵが低い場合、有料のマーケティングチャネルでは賄いきれないのでＳＥＯを、ＡＲＰＵが高い場合は、法人営業チームを立ち上げることを検討するとよい[45]。

厳格なルールは存在しないが、ＡＲＰＵの高さに応じて検討すべきチャネル例は以下のとおりだ。

ＡＲＰＵが分かると、どのユーザーが自社のプロダクトにフィットしているかも把握できるようになる。**すべてのユーザーがみな平等に存在するわけではない**のだ。売上の果実には、美味しい部分もあれば、苦かったり身体に

高いARPU	法人営業
中程度のARPU	インサイドセールス、有料広告
低いARPU	SEO、コンテンツマーケティング、口コミ

ARPUの高さに応じて検討すべきチャネル例

悪い部分もあるものだ。リンゴの芯は食べないのと同じように、売上の実も、苦い部分をかじることがないよう、ビジネスを飼いならす必要がある。

「何が何でも成長する」という企業は、精神的に追い込まれがちだ。そして、急激な成長を求めると、売上という食事のほとんどを、ジャンクフードで満たそうとする。つまり、目標を達成するのに、規模が小さく、あとから手がかかるような収益性が低いユーザーに手を出してしまうのだ。

そのようなユーザーから得た悪い売上で身体を重くするのではなく、自社のビジネスにフィットしたユーザーでお腹を満たそう。そうすれば、自社のARPUも他のメトリクスも、健康になる。

ARPUを最適化するためには？

次に、ARPUを改善するための戦略と戦術を紹介しよう。

バリューメトリクスを用いる

解約率の引き下げ、顧客獲得数の増加、ＡＲＰＵの最適化、どれを達成しようとしているにしても、プライシングモデルにバリューメトリクスを取り入れると、ビジネスの成長に繋がる。第9章でも述べたように、プロダクト主導型ビジネスにおいて、売上モデルと顧客獲得モデルは婚姻関係にあるようなものだ。結婚生活をうまくいかせるためには、両者が協力する必要がある。

価格帯を改善する

プライシングにおいてはどうだろう。価格を１００倍にしたら、顧客獲得モデルは大打撃を受けるだろう。一方で、プロダクト機能の大部分を無料で公開したら、強力な顧客獲得モデルができるが、ビジネスは破綻してしまう。

いずれの選択肢も理想的ではない。両者が両立する中間点を見いだす必要がある。不必要に設定された価格帯を取り除くと、価格を上げずにＡＲＰＵを改善できる場合が多い。どのようなカラクリかというと、**人は選択肢が多いほど、選択をしない可能性が高くなる**という、バリー・シュワルツ氏が提唱した「選択のパラドックス[46]」を用いるのだ。

これは感覚と相反するものに思われるかもしれない。

私を含め多くの人が、ある程度の選択肢があったほうが、より高い満足感が与えられるのではないかと考えるものだ。

だが実際は、選択肢を追加するたびに、選択者により多くのストレスと不安感を与えることになる。するとどうなるだろう？　ユーザーが選択肢を分析する能力が麻痺するのだ。そして、選択するときに一番簡単な方法は、現状維持に陥ってしまう。

この課題に対処するには、プライシングのオプションを3つ以下に抑え、一番人気があるプランを強調するという手法が一般的だ。たとえばチームワーク・ドット・コム社は、この方法でARPUを20％も改善することができた[47]。

価格を上げる

投資会社のヴィスタ・エクイティ・パートナーズの創業者、ロバート・スミス氏によると、多くの起業家が需要の弾力性を過小評価しており、そのため多くのプロダクトがプライシングを低く設定しすぎているという[48]。市場のインフレーションに合わせてプロダクトも値上げをすると、長期的に見てＡＲＰＵを大きく改善できる可能性がある。

コアユーザーを特別扱いする

もし英国女王があなたの家にやってきたとしたら、同じように遊びに来た友人とは違った扱いをするだろうか？　もちろんイエス、と答える人が多いだろう。

では、自社プロダクトに理想的なユーザーが訪れたときは、実際にどうしているだろう？　特に扱いを変えていないのではないだろうか。

マーケティングオペレーションプラットフォームを提供するマッドクドゥ社のマー

ケティング責任者のリアム・ブーガ＝アズレ氏によると、ユーザーコミュニケーションの最適化を図る際には、すべてのユーザーに対応しようとしないほうがよいという。オンボーディングプロセスの改善テストを設計する際も、そのテストがベストな見込み顧客を支援するものになっているかに着目しよう。

ベストなユーザーであることを証明するためのハードルをつくると、オペレーションに摩擦が生じる。多くのビジネスで、営業担当者が見込み顧客をふるいにかけるため、長い申請フォームを用意している。そして、ベストな見込み顧客はこのフォームを最後まで記入してくれると期待している。さらに、ベストな見込み顧客特有のモチベーションに対応するのではなく、他のユーザーと変わらない一辺倒のオンボーディングを提供している。

理想的なユーザーを想定したジャーニーがあれば、売上の8割を占める2割のベストな見込み顧客に、対応を集中することができるようになる。

アップセルとクロスセル

これはＡＲＰＵの改善策として最も簡単な方法だ。
アップセルは、機能やサービスの追加や拡張販売のこと。クロスセルは、まったく異なるプロダクトやサービスを売ることだ。

ハブスポットを例に挙げよう。
同社は、マーケティングオートメーションプラットフォームを提供するビジネスから始めたが、やがてセールス向けＣＲＭやヘルプデスクソリューションも提供するようになった。これらのまったく新しいプロダクトによって、ハブスポットは既存ユーザーへの強力なクロスセルを実現している。

アップセルに関していえば、自社ビジネスのプライシングモデルとしてバリューメトリクスを取り入れていれば、プロダクトの価値を上げれば上げるほど、ユーザーからより多くの利用料を得ることができる。さらに、アドオン機能やユーザーのどんな困りごとにも対応するサービスの提供も、アップセルにつながる。

理想的なユーザーを特定し増やそう

ＡＲＰＵを改善するためは、まずは理想的なユーザーを特定し、その層を増やそうとすることから始まる。ユーザーはみな平等に存在するわけではない。無視すべきユーザーも把握する必要がある。

ＡＲＰＵを上げる最も簡単な方法の１つは、解約率を改善することだ。解約を食い止めることができれば、プロダクトにフィットした価値の高いユーザーを増やし、ビジネスを飛躍的に成長させられる。

第15章

チャーンビーストを やっつける

「チャーンは、ビジネスにおけるサイレントキラーだ。早く対処しないと、まともに立つことさえできなくなる」

——パトリック・キャンベル
プロフィットウェル社　創業者兼CEO

チャーン（解約）は、ＳａａＳ界における大敵だ。

チャーンビーストの息の根を止めることは難しいが、飢えさせることはできる。そうしておかないと、プロダクトにフィットしない少数のユーザーや、ひどいオンボーディング体験が、ビジネスの存続を脅かすモンスターと化す危険性がある。

解約されることによるリスクはみな分かっているはずなのに、これを抑えようと優先的に取り組んでいる企業があまりに少ない。なぜだろうか？

ソーシャルメディアツールを提供するバッファー社のロイ・オレンデ氏によると、その主な理由は、「新車を手に入れるほうが、今持っている車をメンテナンスするより気分が上がるのと同じで、入ってきた新規ユーザーを喜んで迎え入れることのほうが、既存ユーザーを維持することよりも楽だ」からだという。[49]

カスタマー・リテンション・レート（顧客維持率）を5%上げるだけで、売上を25～95%も上げることができることを考慮すると、この理由は実にばかげている。[50] **新規獲得ファーストからリテンション・ファーストのマインドセットに移すと、ビジネスを著しく成長させることができる。**[51][52]

チャーンとは？

チャーンを定義する方法は数えきれないほど存在するため、ここで認識を合わせておこう。

ハブスポット社によると、カスタマーチャーンとは、一定期間中にSaaSサービスのサブスクリプションを解約したか更新しなかったユーザーや購読者の割合を示したものだ。例を挙げて説明しよう。

・年初のユーザー数は100名だったとする
・年度末までに、そのうち10名が解約（キャンセル）したとする
・この場合、チャーンレートは10÷100＝0・1、**10％のカスタマーチャーン**ということになる

ここで多くの人は、チャーンはサービスを解約したユーザーの割合と同等だと理解するだろう。

だが、すべてのチャーンがそうとは限らない。たとえば、チャーンレートが1％以下だったとしても、キャンセルしたのが一番の大口ユーザーだったとしたら、MRRが40％下落する場合がある。

チャーンを包括的に捉えるためには、次の3つの側面から測定する必要がある。

1. **カスタマーチャーン**　一定期間中に失ったユーザー数
2. **レベニューチャーン**　一定期間中に失った売上額
3. **アクティビティチャーン**　解約リスクがあるとされるユーザー数
（例：2カ月以上アプリにログインしていないユーザー数）

カスタマーチャーンとレベニューチャーンは、毎月の指標として取り入れることができる。アクティビティチャーンは、解約する可能性があるユーザーを特定し、売上に影響がでる前に対処するために役立つ。

どのようにチャーンを計算するか？

プロフィットウェルによると、チャーンを計算する方法は43通り以上あるという。そのため多くの企業が、見栄えの良いチャーンレートや数字を選ぼうとする。

インサイドセールス向けツールを提供するクロース・ドット・アイ・オー社のCEO、ステリ・エフティ氏は、次のように忠告している。

「チャーンに取り組む際は、プロダクトを実際より良く見せるために表面上だけ変更するようなアプローチをしてはいけない。チャーンは、スタートアップが直面する最も深刻かつ継続的な課題だ。これに立ち向かう唯一の方法は、現状を潔く受け入れ、本音で向き合うことだ」

小手先の対応はやめて、早速本気で取りかかろう。

カスタマーチャーン

カスタマーチャーンは、最も簡単に測定ができ、広く一般的に使われている指標だ。算出するためには、一定期間中の解約者数を全ユーザー数で割るだけだ。パーセンテージで示す場合、それに100を掛ければよい。

カスタマーチャーン
＝（解約ユーザー数÷全ユーザー数）
×100

一流のエンジェル投資家であるブライアン・キンメル氏によると、カスタマーチャーンは、ターゲットユーザー

セグメント	毎月の顧客解約率（%）	年間の顧客解約率（%）
SMB（中小企業）	3～7%	31～58%
ミッドマーケット（中堅企業）	1～2%	11～22%
エンタープライズ（大企業）	0.5～1%	6～10%

企業のセグメントごとの顧客解約率（[53]）

によって変わるという。[53]

確かに、変化に強い大企業のユーザーは解約する可能性が低い。一方で中小企業のユーザーには倒産する確率が高い新興企業が含まれている。

キンメル氏の調査をもとにしたターゲットユーザー別の平均チャーンレート（解約率）を前ページの表にまとめた。

このような業界標準は、ターゲット市場へのアプローチ方法を検討する際の参考になる。だが最終的には、業界標準ではなく、自社のカスタマーチャーンレートを指標にして戦ってほしい。他社がやっていることは結局あてにならないものだ。どこからはじめるにせよ、自社が良い結果を得るためには自社のチャーンビーストと対峙する必要がある。

チャーンレートの改善を支援するチャーンバスター社のグロースマーケター、クリステン・デコスタ氏によると、多くの企業が業界標準にフォーカスし過ぎだという。業界標準に囚われると、社内に混乱、カオス、そしてストレスが生じる。それは戦略なしに高遠な売上目標を掲げているようなものだ。

かわりに、自社のチャーンレートに目を向け、改善できている部分に注目しよう。そうすることで、自社の状況を冷静に分析できるようになり、一番手が届きやすい果実を見つけ、手に入れるための戦略が立てられるようになる。成功の定義は、自社の軌跡をもとに設定しよう。チャーンビーストを倒す確実な方法はないが、どんな改善も、小さな勝利に値する。一歩ずつ取り組み、有意義な内部目標を設定しよう。

レベニューチャーン

では次に、レベニューチャーンを考えてみよう。カスタマーチャーンとはまた別の観点で測定する。

想像してみよう。自社の一番のコアユーザーを来月失うとする。カスタマーチャーンレートに影響はないが、売上には大きな影響を及ぼす。カスタマーチャーンを把握することは手始めとしては良いが、レベニューチャーンとの相関を調べることで、より正確な状況が把握できるようになる。

レベニューチャーンの計算式は次のとおりだ。

レベニューチャーン＝（解約するユーザーのＭＲＲ（月間経営収益）÷ＭＲＲ合計）×１００

例を挙げよう。

・自社のビジネスのカスタマーチャーンは１％で、ユーザー数は１００名だとする
・解約するユーザーのＭＲＲは４万ドルだとする
・自社のＭＲＲの合計が10万ドルだとしたら、
　レベニューチャーンは４万÷10万＝０・４または４％ということになる

このことから、カスタマーチャーンレートは順調でも、多額の売上を失い、事業が大打撃を受けることが分かる。

だが、すべてのチャーンがビフォア・アフターといった明確なかたちで把握できるわけではない。チャーンは、実際には数週間、数カ月、もしくは何年も前から始まっている場合がある。これがアクティビティチャーンと呼ばれるものだ。

アクティビティチャーン

インターコム社の共同創始者、デス・トレイノア氏は次のように述べている。[54]

一般的に、ユーザーはプロダクトを徐々に使わなくなるものだ。毎朝使っていたものが月1回へと減り、あるときもうまったく使っていないことに気がつく。この時点でユーザーは「チャーン」する。実際は、その何カ月も前に決断が下されていたにもかかわらず、である。

ユーザーがプロダクトを半年使っていなければ、解約リスクがある。ユーザーがアカウント上のすべてのデータをエクスポートしはじめたときも、解約の前兆かもしれない。

アクティビティチャーンを引き起こすきっかけは何だろうか？　サブスクリプションをキャンセルし忘れたことかもしれないし、またはプロダクトの購入を決断した人が転職したことかもしれない。考えうる理由は数えきれないほどあり、中にはコントロールできないものもある。だが、せっかくデータが揃っているのに、キャンセルを食い止めようとトライもしないのでは、もったいない。（とはいえ、アプリを1週間程度使っていないユーザーすべてに「ご利用をお待ちしています」メールを送る必要はない。少しくらい休むことは誰でもある。鬱陶しいメールでユーザーを困らせたくないだろう。）

アクティビティチャーンの計算式は、カスタマーチャーンやレベニューチャーンのように単純なものではなく、プロダクトごとに異なる。

まずはプロダクト・エンゲージメントを測定しよう。シャーロック社のCEO、デレク・スカレッスキー氏が、以下のプロダクト・エンゲージメントを測定するための5ステップを気前よく開示している。[55]

ステップ1：プロダクトのエンゲージメントを定義する

前提として、各々のプロダクトは唯一無二なので、エンゲージメントの定義もプロダクトによって異なる。この事実を潔く受け入れ、自社のプロダクトにとって重要なアクティビティを特定し、それをもとにエンゲージメント・モデルを設計しよう。

たとえばB2B向けの生産性向上ツールを提供しているなら、エンゲージメントは「作成されたプロジェクト数」「完了したタスク数」「追加されたメンバー数」「コメント数」「アップロードされたファイル数」「完了したプロジェクト数」などが該当するだろう。

ソーシャルネットワーキングアプリであれば、「繋がった人の数」「投稿されたコンテンツ数」「投稿されたコンテンツへのいいね数」「コメント数」が該当するかもしれない。

手始めとして、ユーザーがあなたのプロダクトを使う際にとる行動（エンゲージメント・アクティビティ）をすべてリストアップしよう。以下は一例だ。

・ログインする
・写真を追加する
・写真を共有する
・友人を招待する
・写真にコメントする

・写真を編集する
・フェイスブックに投稿する
・ツイッターに投稿する
・eメールを開く
・eメールをクリックする

これらの基準は、プロダクトが成長するたびに見直し精査する。一先ず現状のリストができたら、ステップ2に移ろう。

ステップ2：プロダクト・アクティビティ（イベント等）をトラッキングする

主要なアクティビティやイベントをトラッキングすることは基本だ。もし自社でまだやっていないなら、もたついている暇はない。言い訳はせず、すぐに取りかかろう。データが揃ったら、ステップ3に進もう。

ステップ3：各エンゲージメント・イベントを重み付けする

主要なエンゲージメント・イベントのトラッキングができたら、各イベントを影響度または重要度に応じて重み付けをし、プロダクトのエンゲージメント・スコアを求めよう。これは最も重要なステップだ。**アクティビティはみな平等につくられているわけでない**のだ。

考えてみてほしい。新規ユーザーを招待するアクティビティのほうが、単にログインするよりエンゲージメントが高いアクティビティであることは明らかだ。ソーシャルメディアサイトに長い記事を投稿するほうが、単に投稿記事にいいね

イベント名	A：イベントの重み（1.10）	B：イベント回数（直近X日間）	イベント・バリュー（A×B）
イベント1	3	124	372
イベント2	7	23	161
イベント3	9	11	99
		トータルスコア	632

それぞれのイベントの総スコアが、
そのユーザーのエンゲージメント・スコアとなる。

ボタンを押すよりもエンゲージメントが高い。タスク管理アプリにおいては、プロジェクトを作成するほうが、単に1つのタスクを完了させるよりもエンゲージメントが高い。例はいくらでも挙げられる。

各アクティビティに相応の重み付けをし、前ページのような表を作成しよう。

まず、左側の列にエンゲージメントに関わるイベントを、右側の列にそれぞれの重みを記入する。

次に、ユーザーが一定期間（たとえば過去7日間）でそのイベントを実行した回数を記入する列を追加しよう。

記入したら、各イベントの実行回数をイベントの重みと掛け合わせよう。

それぞれのイベントの総スコアが、そのユーザーのエンゲージメント・スコアということになる。このスコア表をユーザーごとに作成し、計算してみよう。これでユーザー・エンゲージメント・スコアのベースができあがった。だが、これで終わりではない。数字に意味を持たせる必要がある。

ステップ４：スコアを標準化し、意味付けをする

エンゲージメント・スコアは、組織全体で使えて、チーム間で運用できるものである必要がある。よって、誰もが理解しやすく、使いやすいフォーマットでなければならない。

たとえば、マーケティングチームにユーザースコアは４５８点だと伝えても、理解してもらえないだろう。４５８点が良いのか悪いのか、高いのか低いのか、判断できないからだ。１００点満点中91点だと伝えれば、理解してもらえるはずだ。

これがエンゲージメント・スコアの標準化が必要な理由だ。プロダクト・エンゲージメント・メトリクスを測定するシャーロック社では、標準化の手法として、外れ値処理[56]を取り入れている。その後、指数関数を適用し、スコアを効果的に活用している。

ステップ５：スコアを実行可能なアクションに落とし込む

ユーザースコアの標準化ができたら、もう難しいことはない。あとはこのスコアをビジネスに適用するだけだ。代表的な活用例をいくつか紹介しよう。

1. ユーザーをランク付けする

各ユーザーにエンゲージメント・スコアがついていると、ユーザーをランク付けできるようになる。このようなユーザー・ランキングは、エンゲージメント状況をもとにユーザーを理解する際に大変役立つ。

- パワーユーザーを特定し、その要因を探る
- カスタマーサクセスの対応に優先順位をつけ、より良いサポートの提供、問題ユーザーの特定、成長機会を見いだすことに注力できる
- よりパーソナライズされたマーケティング施策を提供する
- ユーザー調査に最適な対象者を特定する

2. アカウントにスコアとランクをつける

すべてのユーザーにエンゲージメント・スコアがついていると、アカウント単位のスコアも算出することができる。アカウントがランク付けできると、次のことが可能になる。

・自社ビジネス全体の業績を把握する
・どのトライアルまたはフリーミアムアカウントがコンバージョンしやすいかを特定し、営業活動に優先順位をつける
・どのアカウントに拡大見込みがあり、手厚いサポートが必要か特定し、カスタマーサクセス活動に優先順位をつける
・コアユーザーにとってどの機能が最も重要か特定する

3.プロダクトの総スコアを算出する

各ユーザーのスコアを計算したのち、すべて合算することで、プロダク

ユーザー	エンゲージメント・スコア
ユーザー1	188
ユーザー2	12
ユーザー3	45
総エンゲージメント	245
総エンゲージメント/ユーザー	82

各ユーザーのスコアを計算したのち、すべて合算することで、
プロダクト全体のエンゲージメント・スコアを算出することができる。

クト全体のエンゲージメント・スコアを算出することができる。

この平均スコアを日々トラッキングしていると、自社が今取り組んでいることがエンゲージメントの向上に貢献しているかを判断ができるようになる。また、追加投資をするタイミングや、そもそも追加投資するかといった経営レベルの判断をする際の参考にもなる。

4．人口分布やコホートを比較する

ユーザー・エンゲージメント・メトリクスは、異なるユーザー層を比較する際に役立つ。新規ユーザー対ベテラン・ユーザー、無料プランユーザー対有料プランユーザー、異なるアクセス権限を持つユーザー同士など、様々な切り口で比較ができる。

5．他のビジネスメトリクスとの相関関係を調べる

プロダクト・エンゲージメントは、すべてのソフトウェアビジネスにおいて必要不可欠なメトリクスだ。

良くできたユーザー・エンゲージメント・スコアは、単に便利なプロダクト・

メトリクスであるだけではない。ビジネスの要となる究極のビジネスメトリクスになるのだ。

たとえば、ユーザー・エンゲージメントトレベルを、売上、リテンション、成長率、LTVといった他のビジネスメトリクスと比較することで、エンゲージメントトレベルをもとにビジネスの進捗を予測することができるようになる。

チャーンビーストをやっつけろ！

プロダクト・エンゲージメントを測定すると、アクティビティチャーンの目星がつき、ユーザーが解約するのを事前に食い止められるようになる。カスタマーチャーンやレベニューチャーンは後部ミラーを見るようなものだが、アクティビティチャーンは前を見ているため、手遅れになる前にアカウントを救うことができる。それではチャーンビーストを倒すための具体的な方法をいくつか紹介しよう。

・チャーン・メトリクスを測る

かの有名なマネジメントコンサルタントのピーター・ドラッカー氏も「測定できないものは管理できない」と述べている。

チャーンが注目されない理由の1つとして、解約は自分ではなく他の誰かの問題だと捉えられがちだからだ。チャーンバスター社のクリステン・デコスタ氏も言うように、「みなの課題は、誰の課題でもないことと同じだ」。

社内にチャーンを定期的にレポーティングする責任者をアサインしよう。そうすれば、あなたは利用しはじめたばかりのユーザーをサポートするといった他のタスクに注力できるようになる。

・新規ユーザーのオンボーディングを支援する

サインアップ後、そのプロダクトを購入した事実を確認できるものはウェルカムメールだけという企業があまりに多い。コンバージョンを上げることに直接繋がる体験には注力するが、ユーザーを歓迎したり、ユーザーがプロダクトからきちんと価値を得ているか確かめるといったことは、考えてもいないのだ。

チャーンを改善する最も強力な方法の1つは、強固なカスタマー・オンボーディングプロセスを構築することだ。ウェルカムメールを送ったり、一対一のオンボーディングコールをかけたり、使い方紹介のコンテンツを送ったり、何をやるかは自由だ。重要なのは、そのウェルカム体験が、ユーザーが成し遂げたいゴールに近づけるよう支援するものであることだ。

・アビリティ・デッドを完済する

第10章でも挙げたが、アビリティ・デッドとは、ユーザーがプロダクトから主要成果を成し遂げられなかったたびに自社が支払う負債のことだ。プロダクトが使いこなせないと、ユーザーはプロダクトから最大限の価値を得ないまま解約してしまう。アビリティ・デッドを返済するためには、利用時に生じる摩擦を可能な限り取り除く必要がある。

・利用状況報告メールを送る

利用状況を知らせるメールは、プロダクトの価値をユーザーに改めて提示する良い機会だ。メールチンプは、メール配信数を提示している。ウィスタは、動画視聴数と視聴時間を分かりやすく伝えている。フルストーリーは、プロダクトのウェブサイトにアクセスしたトップユーザーのログを、毎日または週一で配信している。

サンプルメールとして、ユーザーリスト・ドット・アイオーのテンプレート[57]を紹介しよう。自社のビジネスに合うよう手を加えて使うとよい。

利用状況報告メール文例

件名：［プロダクト名］ウィークリー・アクティビティ・レポート

本文：

{{user.first_name | default：“there”}} 様、こんにちは。

［プロダクトを使って成し遂げられたことに関する一文。たとえば……

・チームの先週の完了タスク数はこちらです。

・あなたが作成した提案書の現在のステータスはこちらです。（下書き中、申請中、承認済み）

・［プロダクト名］が先週削減した就業時間数はこちらです。］

［アクティビティ・セクション。ポイント：ユーザーが達成感を得られるようなアクティビティのみを提示すること。バロメーターは、誇りに思い、上司に見せたくなるようなアクティビティだ。たとえば……

・申請した新規提案数
・承認された新規提案数
・どれくらい生産性が上がったか
・どれくらいトラフィックが上がったか
・プロダクトやコンテンツとのエンゲージメントがどれくらい上がったか
・どれくらい会員数または収入が伸びたか］

引き続き［自社プロダクトが成し遂げたこと］を楽しみましょう！

――署名

・請求書にプロダクトのバリューを提示する

請求書を受け取るユーザーの中には、今はプロダクトを使っていないユーザーが含まれている可能性があることを忘れないように。こういったケースに備え、どのようなサービスなのか改めて紹介した一文を含めよう。請求書にプロダクトのコア・ベネフィットを提示している好例として、Zapier（ザピアー）社のサンプルメールを以下に紹介しよう。

ザピアーは、請求書を送ると、ユーザー（特に非アクティブユーザー）が解約する引き金になると知っている。だから、ユーザーとの接点一つ一つを最大限に活かし、プロダクトが提供する価値を強化することに努めているのだ。

・解約防止キャンペーンを展開する

新規ユーザーの獲得には多額を投じるのに、苦労をして獲得したユーザーを維持することには投資をしてしない、というＳａａＳ企業が多い。

解約防止キャンペーンの一例として、アクティビティが低いユーザーに対してリマーケティング・キャンペーンを打ち出したり、カスタマーサクセスチームとの一対一ミーティングを設定したりすることが挙げられる。他にも方法はあるはずだ。クリエイティブに考えよう。

オートメーション化で今月も快適！

エミルさん、こんにちは。

ワークフローの自動化と業務の効率化を実現するザピアーをご利用いただき、誠にありがとうございます。

あなたのプランは**プロフェッショナル・プラス**です。
このプランでは以下を実現することが可能です。

・3＋ステップでワークフローを構築
・プレミアムアプリへのアクセス
・オートリプレイ機能でアプリのダウンタイム削減
・5分おきにZapを自動実行

今月のご利用料125ドルの御請求書を添付します。

改めて、ザピアーをご利用いただきまして誠にありがとうございます。

請求コード：XXXX

「ビジネス・プラス」プランは「プロフェッショナル・プラス」プランに名称変更しました。

プラン内容に変更はございません。

・強固な解約プロセスを構築する

ユーザーがなぜ解約したのか理由が分からないのでは、機会の損失になる。単に、プロダクトの使い方が分からなかったからかもしれない。それが理由なら、ユーザーにコンタクトをとり、無料のオンボーディングコールの設定を提案できただろう。自社ビジネスの解約理由を理解するためには、直近に解約したアカウントにアンケートを送るといい。

アンケートの質問は、なぜ解約をしたのか、というこの1問だけで十分だ。複雑に考える必要はない。見込み回答それぞれに、アクションアイテムを紐づけよう。

・評価中　↓トライアル期間の延長を提案する
・ニーズに合わなかった　↓育成（ナーチャリング）ファネルに戻す
・複雑すぎる　↓カスタマーサクセス担当者との電話を予約する
・価格が高すぎる　↓一度きりのディスカウントを提供する

これで解約ユーザーから常に学ぶ姿勢を示し、再登録の確率を高めることができる。

・滞納解約者に対処する

これは登録クレジットカードが使えなくなったことを理由に解約するケースだ。クレジットカードの有効期限切れや残高不足、利用上限に達していることが原因である場合もあれば、何らかの理由でカードの利用が凍結されている場合もある。プロフィットウェル社によると、20〜40％のＭＲＲチャーンはクレジットカードの引き落としエラーによるものだという。これらのユーザーをリカバーする仕組みを構築することは、大変効果的だ。

・カスタマーサクセスに投資する

多くの創業者は「カスタマーサクセス」と「カスタマーサポート」を混同している。カスタマーサポートは、受け身で、問い合わせに回答したりバグを復旧したりすることに注力する。カスタマーサクセスは、能動的で、ユーザーがプロダクトで成功するために何ができるか探る。

・プライシングを見直す

バリューメトリクスをプライシングモデルに取り入れていない場合、ユーザーは価格に見合った価値を得ておらず、解約されやすい状況になっているかもしれない。特に、ユーザー数に応じてチャージするといった任意のプライシングレバーを取り入れている場合は見直しが必要だ。

ここまで、チャーンの改善、ＡＲＰＵの改善、そしてより多くのユーザーを獲得するために様々な方法を紹介してきた。さあ、学んだことを実践に取り入れよう。

第16章

真に成功している企業はなぜプロダクト主導型なのか?

「プロダクト主導型の成長戦略（ＰＬＧ）は、市場を勝ち取りたいＳａａＳ企業にとって、やがてあたりまえになる」

——ブレイク・バーレット
オープンビュー社　パートナー

もしグーグルで検索する前に、利用料を支払わなければならないとしたら？　もしウーバーをはじめて利用する前に、デモを申請するようにと言われたら？　もしスラックに登録する前に、営業担当者と話す必要があるとしたら？

日々使うサービスが、その価値を体験する前にいちいちひと手間かかるとしたら、いずれの企業も今ほどの成功は収めていなかったことだろう。グーグル、ウーバー、スラックといった巨人がすべてを変えた。特にＢ２Ｂ業界においては、ビジネスのやり方そのものが大きく変わった。

今の時代、数えきれないほどの選択肢があり、購入者がすべての権限を持っている。購入者からすると、Ａ地点からＢ地点に辿り着くのに、セールスサイクルの輪をいくつも潜り抜けなければならないのはうんざりだ。Databox（データボックス）社のＣＥＯ、ピート・キャプタ氏は次のようにまとめている。

セールス主導型のソフトウェア購入方法：ソフトに関する説明を読み、必要な機能一覧を作成し、営業担当者に要件と合うか見てもらい、デモ体験をし、トライアル版を提供してもらえるよう担当者に依頼する。

プロダクト主導型のソフトウェア購入方法：プロダクトを使いはじめる。行き詰まったら問い合わせる。利用状況やプロフィールに応じてカスタマイズされたアドバイスを受け取る。

あなたならどちらの購入方法がよいだろうか？　購入するものが香水にせよソフトウェアにせよ、何であれ、プロダクトを事前に試すことはこれまでも、そしてこれからも、購入プロセスにおいて必要不可欠なステップだ。消費者がそれを強く求めている。ＰＬＧを擁する企業は、抗えない不朽の消費者トレンドに添ったビジネスモデルを構築しているのだ。

「どのように」ものを売るかは、「何を」売るかと同じくらい重要だと歴史は教えてくれる。同じデジタルコンテンツを売るのに、ブロックバスターはネットフリックスに勝つことができなかった。

あなたも決断を迫られている。
プロダクト主導型の道を選ぶか、それとも、このまま留まるのか。

御礼

本書を手に取りお読みいただいたことに感謝する。

最後まで読み終えたみなさんなら、ＰＬＧがいかに強力なビジネス戦略か理解してくださっていることと確信している。

一方で、他の多くの人々にとっては、ＰＬＧはまだ馴染みがなく、これがどのように自社のビジネスを成長させるのか理解されていない。

本書の内容が少しでもあなたのお役に立てたなら、ＰＬＧがより広く認知されるよう、友人や同僚にこの本をすすめていただけるよう、是非ともご協力をお願いしたい。

成長おめでとう。

ウェス・ブッシュ

トップダウン型販売戦略：セールスチームは企業のキーマンとなる意思決定者やマネジメント層にターゲットを絞りアプローチする。典型的なケースとして、企業全体のビジネスに関わる大型のロールアウト案件では、この戦略をとる場合が多い。

ボトムアップ型販売戦略：B2Cにおいてはあたりまえとなっている販売戦略。フェイスブック、ツイッター、エバーノートは、どれも数分あれば導入できる。トップダウン型販売戦略のように、案件成約までに何カ月も、場合によっては何年もかかるのとは異なり、ボトムアップ型の販売戦略では、導入の早さとプロダクトのシンプルさが求められる。

バリューメトリクス：プロダクトから得られる価値を測る方法。

知覚価値：マーケティングやセールスにおいてユーザーに約束している価値。

体験価値：プロダクトを以てユーザーに提供している価値。

バリュー・ギャップ：ユーザーに対して約束通りの価値が提供できなかった場合に発生するユーザーの期待とのギャップ。

アビリティ・デッド：ユーザーがプロダクトで主要成果を得られないたびに、ユーザーに対して負う負債。

UCDフレームワーク：U（Understand：理解する）、C（Communicate：伝える）、D（Deliver：提供する）の頭文字を取ったもので、プロダクト主導型ビジネスの確固たる基盤を構築するための各ステップを指す。

機能的対価：ユーザーが解決したい主なタスク。

感情的対価：機能的対価を達成した結果、感じたいまたは避けたい感情。

社会的対価：プロダクトを使うことで得たい他者からの評判。

適正判断型プライシング：チームで話しあい、適正だと思う価格を設定する。

コスト・プラス型プライシング：プロダクトの販売コストと運営コストを計算し、そこに利益を上乗せする価格設定。

競合ベース型プライシング：競合データをもとにサービス価格を設定する。

バリュー・ベース型プライシング：サービスが提供するバリュー（価値）をもとに価格を設定する。

プロダクトバンパー：プロダクト主導型モデルに必要不可欠なもので、ユーザーが自らプロダクトを導入できるようサポートする。

コミュニケーションバンパー：ユーザーを啓蒙する役割を担い、アプリへの再訪や有料版へのアップグレードを働きかける。

初回オンボーディング体験：そのユーザーにとって初めてのオンボーディング体験。

用語集(Glossary)

プロダクト・レッド・グロース(PLG):ユーザー獲得、アクティベーション、リテンションをプロダクトそのものが担う、GTM(ゴー・トゥ・マーケット)戦略の1つの手法。

セールス主導型GTM:プロダクトにセルフサービス機能はなく、ユーザー獲得までの一連の営業プロセスを、セールスチームが担う手法。

顧客獲得コスト(CAC):見込み顧客が、プロダクトやサービスを納得して購入するまでに費やしたコスト([58])。

従業員1人あたり売上(RPE):一企業における従業員1人あたりの平均売上額([59])。

GTM(ゴー・トゥー・マーケット)戦略:どのようにターゲット顧客にアプローチするか、競争優位性を保つかを具体的に示したアクション・プラン([60])。

ライフタイム・バリュー(LTV):1人のユーザーと取引を始めてから終えるまでに期待できる売上([61])。

最大市場規模(TAM):あるプロダクトやサービスから見込める売上機会の総和。将来の成長性も加味される([62])。

フリートライアル:プロダクトを部分的または完全に無料で利用できる権限を一定の期間だけ提供する顧客獲得モデル。

フリーミアムモデル:プロダクトを部分的に利用できる権限を期限なしで提供する顧客獲得モデル。

ドミナント型成長戦略:競合他社と比較して、サービスのレベルが高く、かつ、かなり安価で提供できる場合に実現可能。

差別化型成長戦略:競合他社よりも優れた特定の機能を、高い価格設定で提供することが求められる。これは誰でも取り入れられるモデルではない。

年間契約金額(ACV):ユーザー1契約あたりの年間売上。初期費用など一度しか発生しない料金は含まない([63])。

1ユーザーあたり平均単価(ARPU):ユーザー1人から見込める売上。ビジネスの総売上をユーザー数で割ることで算出できる([64])。

ディスラプティブ型成長戦略:「劣化版」と捉えられがちなプロダクトを、価格設定を低くして提供する。この手法は良く思わない人が多いが、そんなことはない。

レッド・オーシャン企業:既存需要の中でより大きなシェア獲得を目指し、競合他社よりも成果を出そうとする。市場への参入者が増えてくると、見込み顧客から得られる売上と成長は鈍化する。プロダクトはコモディティ化し、激しい競争によって海(オーシャン)は血色に染まり、レッド・オーシャンとなる。

ブルー・オーシャン企業:未開拓市場に参入し、自らニーズをつくりだすため、収益性の高い成長が見込める。ブルー・オーシャンにおいて、競争は無意味だ。もちろん、模倣する企業は現れるが、経験から、そんな模倣者に対し先行できる機会が広がっていることがわかる。

51 CAMPBELL, P. (2017, April 14). *DATA SHOWS OUR ADDICTION TO ACQUISITION BASED GROWTH IS GETTING WORSE*. Retrieved from Priceintelligently.

52 TATE, A. (2019, May 06). *HOW TO REDUCE CHURN BY BUILDING A BULLETPROOF RETENTION PROCESS*. Retrieved from Profitwell.

53 BRIANNE. (2018, October 3). *Self-serve growth doesn't last forever, it's time to hire Sales*. Retrieved from BRIANNE KIMMEL.

54 Traynor, D. (n.d.). *Reduce churn by re-engaging your customers*. Retrieved from Intercom.

55 Sherlock. (n.d.). *The game of SaaS is afoot! Are you ready to start winning?* Retrieved from Sherlock.

56 Wikipedia. (n.d.). *Winsorizing*. Retrieved from Wikipedia.

57 Userlist. (n.d.). *Send the Right Message at the Right Time*. Retrieved from userlist.

58 Neilpatel. (n.d.). *Customer Acquisition Cost: The One Metric That Can Determine Your Company's Fate*. Retrieved from Neilpatel.

59 Investinganswers. (n.d.). *Revenue Per Employee*. Retrieved from Investinganswers.

60 PARTNERS, B. (n.d.). *GO-TO-MARKET STRATEGY*. Retrieved from BIN PARTNERS LLC.

61 Fontanella, C. (n.d.). *How to Calculate Customer Lifetime Value*. Retrieved from blog.hubspot.com.

62 Divestopedia. (n.d.). *Total Addressable Market (TAM)*. Retrieved from Divestopedia.

63 Baremetrics. (n.d.). *Annual Contract Value (ACV)*. Retrieved from Baremetrics.

64 Farley, R. (n.d.). *ARPU: How to Calculate and Interpret Average Revenue Per User*. Retrieved from blog.hubspot.com.

ABOUT USER ADOPTION. Retrieved from Openview.

33 Scott Williamson, V. o. (n.d.). *Input Log.* Retrieved from docs. google.com.

34 Mackin, Al, *The Benefits of Showing Progress.* Retrieved from Formisimo.

35 HUANG, Y. Z.-C. (n.d.). *How Endowed versus Earned Progress Affects.* Retrieved from faculty.mccombs.utexas.edu.

36 Wikipedia. (2019, February 22). *Zeigarnik effect.* Retrieved from Wikipedia.
ウィキペディア(2019)『ツァイガルニク効果』、2019年2月22日アクセス。

37 Stretch, R. (2016, January 14). *The Endowed Progress Effect: How to Motivate Your Customers With a Head Start.* Retrieved from zapier.

38 Wiebe, J. (n.d.). *We did these 7 things to a SaaS onboarding email sequence, and it tripled paid conversions.* Retrieved from Copyhackers.

39 ResultStory. (n.d.). *Your most powerful growth 'hack'.* Retrieved from ResultStory.

40 Bush, W. (n.d.). *Little Known Ways To Convert Free Trial Users Into Premium Customers.* Retrieved from Traffic Is Currency.

41 Bush, W. (n.d.). *Free Trial vs Freemium: Use the MOAT Framework to Decide.* Retrieved from Traffic Is Currency.

42 Dimon, G. (2016, October 20). *Ttrial expiration email best practices.* Retrieved from Postmark.

43 Geary, M. (2018, November 14). *The marketer's guide to conversion rate optimization.* Retrieved from Autopilot.

44 EXPERT, M. (2017, February 22). *Returning Customers Spend 67% More Than New Customers - Keep Your Customers Coming Back with a Recurring Revenue Sales Model.* Retrieved from Business.com.

45 CAMPBELL, P. (2017, May 21). *BRIAN BALFOUR: WHY SAAS COMPANIES ARE WRONG ABOUT PRODUCT-MARKET FIT.* Retrieved from Priceintelligently.

46 Schwartz, B. (n.d.). *The Paradox of Choice: Why More Is Less MP3 CD – Audiobook, MP3 Audio, Unabridged.* Retrieved from Amazon.com.
『なぜ選ぶたびに後悔するのか:オプション過剰時代の賢い選択術』バリー・シュワルツ著、瑞穂のりこ訳、武田ランダムハウスジャパン、2012年。

47 CAMPBELL, P. (2017, May 21). *HOW TO TURN A SAAS COMPANY AROUND IN 90 DAYS ([CASE STUDY]).* Retrieved from Priceintelligently.

48 Smith, R. F. (n.d.). *Robert F. Smith.* Retrieved from Forbes.

49 Olende, R. O. (n.d.). *Roy Opata Olende.* Retrieved from Twitter.

50 Reichheld, F. (n.d.). *Prescription for cutting costs.* Retrieved from Bain & Company.

『[新版]ブルー・オーシャン戦略:競争のない世界を創造する』W・チャン・キム、レネ・モボルニュ著、入山章栄監訳、有賀裕子訳、ダイヤモンド社、2015年。

16 BRIANNE. (2018, October 3). *Self-serve growth doesn't last forever, it's time to hire Sales*. Retrieved from BRIANNE KIMMEL.

17 CAMPBELL, P. (2019, May 4). *OUTCOME BASED VALUE METRICS DRIVE DOWN CHURN, INCREASE EXPANSION REVENUE*. Retrieved from ProfitWell.

18 Skok, D. (n.d.). *2016 Pacific Crest SaaS Survey – Part 1*. Retrieved from ForEntrepreneurs.

19 Intelligently, P. (n.d.). *The Anatomy of SaaS PRICING STRATEGY*. Retrieved from Price Intelligently.

20 Murphy, L. (n.d.). *SaaS Pricing Strategy: The 10x Rule*. Retrieved from Customer success-driven growth.

21 Funnelcake. (n.d.). *Sales accountability made easy*. Retrieved from Funnelcake.

22 Sam Nathan, K. S. (2013, October). *From Promotion to Emotion: Connecting B2B Customers to Brands*. Retrieved from Think Eith Google.

23 WOLF, T. (n.d.). *Emotional Targeting 101: How to Leverage the Power of Emotion to Grow Conversions*. Retrieved from GetUplift.

24 Murphy, L. (n.d.). *SaaS Pricing Strategy: The 10x Rule*. Retrieved from Customer success-driven growth.

25 QuestionPro. (2012, December 14). *How to Set Pricing Using the Van Westendorp Price Sensitivity Meter*. Retrieved from Slideshare.

26 Poyar, K. (2017). *MASTERING SAAS PRICING How to Price Your Product from the Seed Stage through IPO*. Retrieved from Open View.

27 Wesley Bush, m. s. (n.d.). *Grow your SaaS company faster through product-led growth strategy*. Retrieved from Conversionxl.

28 Curency, T. i. (n.d.). *SERVICES*. Retrieved from Traffic is curency.

29 Vidyard. (n.d.). *More than just video hosting*. Retrieved from Vidyard.

30 Gorgias. (2019, February 22). *Lessons from Gorgias: How to Close your First 1000 Customers Based Solely on Data*. Retrieved from Youtube.

31 Doerr, J. (2018, April 24). *Measure What Matters: How Google, Bono, and the Gates Foundation Rock the World with OKRs*. Retrieved from Amazon.com.
『メジャー・ホワット・マターズ　伝説のベンチャー投資家がGoogleに教えた成功手法　OKR』ジョン・ドーア著、土方奈美訳、日本経済新聞出版社、2018年。

32 Orston, R. (2018, April 12). *WHAT EVERY SAAS BUSINESS NEEDS TO KNOW*

参考文献(References)

1 Team, T. i. (2018, March 15). *How to build a SaaS with $0.* Retrieved from Hackernoon.

2 Chen, A. (n.d.). *Startups are cheaper to build, but more expensive to grow – here's whytartups are cheaper to build, but more expensive to grow – here's why.* Retrieved from Andrew Chen.

3 Prater, J. (n.d.). *Facebook CPMs Increase 171% In 2017* ([*New Report*]). Retrieved from ADSTAGE.

4 Prater, J. (n.d.). *Twitter Ad Costs for 2017* ([*NEW REPORT*]) *witter Ad Costs for 2017* ([*NEW REPORT*]). Retrieved from ADSTAGE.

5 Prater, J. (n.d.). *How Much Do LinkedIn Ads Cost?* ([*New Report*]). Retrieved from ADSTAGE.

6 CAMPBELL, P. (n.d.). *INTERCOM'S DES TRAYNOR, STEVE BLANK ON HOW TO DO CUSTOMER RESEARCHNTERCOM'S DES TRAYNOR, STEVE BLANK ON HOW TO DO CUSTOMER RESEARCH.* Retrieved from ProfitWell.

7 Steven Casey, P. A. (2016, Feb 10). *How Self-Service Research Will Change B2B Marketing.* Retrieved from Forrester.

8 Aptrinsic. (2017, Oct 6). *CH 7: From a Traditional Go-To-Market to a Product-led Go-To-Market Strategy.* Retrieved from Intrinsicpoint.

9 Bush, W. (n.d.). *Free Trial vs Freemium: Use the MOAT Framework to Decide.* Retrieved from Traffic Is Currency.

10 PARTNERS, B. (n.d.). *GO-TO-MARKET STRATEGY.* Retrieved from BIN PARTNERS LLC.

11 Rajaram, G. (2018, April 19). *Self-serve first: the overlooked but essential paradigm underlying great software companies.* Retrieved from Medium Startups.

12 Fanning, S. (2018, August 22). *PRODUCT LED GROWTH: THE SECRET TO BECOMING A TOP QUARTILE PUBLIC COMPANY.* Retrieved from Openview.

13 Ulwick, T. (2017, January 5). *The Jobs-to-be-Done Growth Strategy Matrix.* Retrieved from Jobs-to-be-Done.

14 Lemkin, J. (n.d.). *Why You Need 50 Million Active Users for Freemium to Actually Work.* Retrieved from SaaStr.

15 Kim, W. C. (2005, February 3). *Blue Ocean Strategy: How to Create Uncontested Market Space and Make Competition Irrelevant Hardcover.* Retrieved from Amazon.com.

Product-Led Growth　プロダクト・レッド・グロース

「セールスがプロダクトを売る時代」から「プロダクトでプロダクトを売る時代」へ

発行日　2021年10月25日　第1刷
　　　　2021年12月5日　第3刷

Author　ウェス・ブッシュ
Translator　【監訳】UB Ventures　岩澤脩　高野泰樹
　　　　【訳】八木映子（翻訳協力:株式会社トランネット www.trannet.co.jp）

Book Design　秦 浩司

Publication　株式会社ディスカヴァー・トゥエンティワン
〒102-0093　東京都千代田区平河町2-16-1 平河町森タワー11F
TEL 03-3237-8321（代表）　03-3237-8345（営業）
FAX 03-3237-8323
https://d21.co.jp/

Publisher　谷口奈緒美
Editor　千葉正幸　牧野類

Store Sales Company
安永智洋　伊東佑真　榊原僚　佐藤昌幸　古矢薫　青木翔平　青木涼馬　井筒浩　小田木もも　越智佳南子
小山怜那　川本寛子　佐竹祐哉　佐藤淳基　佐々木玲奈　副島杏南　高橋雛乃　滝口景太郎　竹内大貴
辰巳佳衣　津野主揮　野村美空　羽地夕夏　廣内悠理　松ノ下直輝　宮田有利子　山中麻吏　井澤徳子
石橋佐知子　伊藤香　葛目美枝子　鈴木洋子　畑野衣見　藤井かおり　藤井多穂子　町田加奈子

EPublishing Company
三輪真也　小田孝文　飯田智樹　川島理　中島俊平　松原史与志　磯部隆　大崎双葉　岡本雄太郎
越野志絵良　斎藤悠人　庄司知世　中西花　西川なつか　野﨑竜海　野中保奈美　三角真穂　八木眸
高原未来子　中澤泰宏　伊藤由美　俵敬子

Product Company
大山聡子　大竹朝子　小関勝則　千葉正幸　原典宏　藤田浩芳　榎本明日香　倉田華　志摩麻衣　舘瑞恵
橋本莉奈　牧野類　三谷祐一　元木優子　安永姫菜　渡辺基志　小石亜季

Business Solution Company
蛯原昇　早水真吾　志摩晃司　野村美紀　林秀樹　南健一　村尾純司

Corporate Design Group
森谷真一　大星多聞　堀部直人　村松伸哉　井上竜之介　王廳　奥田千晶　佐藤サラ圭　杉田彰子
田中亜紀　福永友紀　山田諭志　池田望　石光まゆ子　齋藤朋子　竹村あゆみ　福田章平　丸山香織
宮崎陽子　阿知波淳平　伊藤花笑　伊藤沙恵　岩城萌花　岩淵瞭　内堀瑞穂　遠藤文香　王玮祎
大野真里菜　大場美範　小田日和　加藤沙葵　金子瑞実　河北美汐　吉川由莉　菊地美恵　工藤奈津子
黒野有花　小林雅治　坂上めぐみ　佐瀬遥香　鈴木あさひ　関紗也乃　高田彩菜　瀧山響子　田澤愛実
田中真悠　田山礼真　玉井里奈　鶴岡蒼也　道玄萌　富永啓　中島魁星　永田健太　夏山千穂　原千晶
平池輝　日吉理咲　星明里　峯岸美有　森脇隆登

Proofreader　株式会社鷗来堂
DTP　株式会社RUHIA
Printing　日経印刷株式会社

ISBN 978-4-7993-2784-5